L'ÎLE DES SORCIERS

Du même auteur chez Hachette Jeunesse :
Les aventures d'Alex Rider,
« quatorze ans, espion malgré lui » :

Tome 1. *Stormbreaker*

Tome 2. *Pointe Blanche*

Tome 3. *Skeleton Key*

Tome 4. *Jeu de tueur*

Tome 5. *Scorpia*

Tome 6. *Arkange*

Du même auteur au Livre de Poche Jeunesse :

Les enquêtes des Frères Diamant

Tome 1. *Le faucon malté*

Tome 2. *L'ennemi public n° 2*

Tome 3. *Devine qui vient tuer ?*

Mortel chassé-croisé

Satanée grand-mère !

Le diable et son valet

Signé Frédéric K. Bower

Ce volume réunit les romans publiés
au Livre de Poche Jeunesse :
L'île du crâne (n° 901) paru sous le titre *Groosham Grange*
et *Maudit Graal* (n° 902) paru sous le titre *The Unholy Grail.*

Anthony Horowitz

L'ÎLE DES SORCIERS

Traduit de l'anglais par Annick Le Goyat

L'Île du Crâne

1

Renvoyé !

À l'heure du dîner, au 3, villa Wiernotta.

M. et Mme Eliot étaient à table avec leur fils David. Le repas se constituait ce soir-là d'un grand plat de chou cru assaisonné de sauce au fromage. M. et Mme Eliot ne mangeaient jamais de viande. L'atmosphère était franchement glaciale. L'après-midi même, dernier jour du premier trimestre, David était rentré du collège avec son carnet scolaire. La lecture n'en était guère réjouissante.

Eliot n'a fait aucun progrès, constatait le professeur de mathématiques. *Il ne sait ni diviser ni multiplier, mais aurait tendance, je le crains, à en rajouter.*

Travail manuel ? s'exclamait le professeur de

menuiserie, *j'aimerais qu'il sache ce qu'est seulement le travail !*

S'il reste éveillé en classe, c'est un miracle, se plaignait le professeur d'histoire sainte.

Manque de principes, affirmait le principal.

Il aura du mal à faire son chemin dans la vie, concluait le directeur d'études.

M. Eliot avait lu tous ces commentaires avec une colère croissante. Son visage avait d'abord viré au rouge. Puis ses doigts étaient devenus blancs, les veines de son cou bleues, et sa langue noire. Mme Eliot avait hésité entre appeler le médecin ou prendre une photo en couleurs mais, finalement, après plusieurs verres de whisky, M. Eliot s'était calmé.

— Quand j'étais petit, grommela-t-il, si je n'étais pas premier en classe, mon père m'enfermait dans un placard pendant une semaine sans nourriture. Une fois, il m'a attaché derrière la voiture avant de rouler sur l'autoroute, simplement parce que j'étais second ex æquo en latin.

— Quelle erreur avons-nous commise ? sanglota Mme Eliot en tirant sur ses cheveux teints en mauve. Que diront les voisins s'ils l'apprennent ? Ils riront de moi ! Je suis déshonorée !

— Mon père m'aurait tué si j'étais rentré avec un carnet pareil, poursuivit M. Eliot. Il m'aurait ligoté sur les rails du chemin de fer en attendant le passage de l'express de 11 h 05...

— Nous pourrions prétendre n'avoir jamais eu

de fils, gémit Mme Eliot. Ou qu'il a été emporté par une maladie rare. Ou encore qu'il est tombé d'une falaise.

M. et Mme Eliot n'étaient décidément pas les parents rêvés.

Edward Eliot, petit, gras et chauve, la moustache hérissée et une verrue dans la nuque, dirigeait une banque, dans la City de Londres. Eileen Eliot le dépassait d'une tête, très mince, avec des dents de porcelaine et des faux cils. Ils étaient mariés depuis vingt-neuf ans et avaient sept enfants. Les six sœurs aînées de David avaient toutes quitté la maison. Trois étaient mariées et trois avaient émigré en Nouvelle-Zélande.

Assis au bout de la table en noyer verni, David grignotait une noix, la seule chose à laquelle il ait eu droit. Il était petit pour son âge et très menu, sans doute à cause du régime végétarien auquel il était soumis (sans pour autant raffoler des légumes). Il avait les cheveux bruns, les yeux bleu-vert et des taches de rousseur. Il se serait décrit lui-même comme petit et moche, mais les filles le trouvaient mignon – ce qui, dans son esprit, était encore pire.

Depuis une demi-heure ses parents parlaient comme s'il n'était pas là. Mais, lorsque sa mère servit le plat principal (une tarte aux poireaux et aux asperges arrosée de jus de carotte râpée), son père se tourna vers lui.

— David, dit-il en plissant les yeux, ta mère et

moi avons discuté de ton carnet de notes et nous ne sommes pas contents.

— Pas du tout ! renchérit Mme Eliot en fondant en larmes.

— J'ai donc décidé de prendre des mesures. Crois-moi, si ton grand-père était encore vivant, il te pendrait par les pieds, la tête en bas, dans le réfrigérateur. C'est ce qu'il me faisait lorsque j'osais éternuer sans permission ! Mais j'ai décidé d'être moins sévère.

— C'est vrai ! Ton père est un ange ! renifla Mme Eliot dans son mouchoir en dentelle.

— J'ai décidé, en ce qui te concerne, d'annuler Noël cette année. Il n'y aura ni chaussons dans la cheminée, ni cadeaux, ni dinde, ni neige.

— Pas de neige ? s'étonna Mme Eliot.

— Pas dans notre jardin, en tout cas. S'il en tombe, je la ferai enlever. J'ai déjà rayé le 25 décembre de mon agenda. Cette famille passera directement du 24 au 26 décembre. Mais nous aurons deux 27 pour compenser.

— Je ne comprends pas, dit Mme Eliot.

— Ne m'interromps pas, mon trésor, gronda M. Eliot en tapotant de sa cuiller le bord de son assiette. Sans la présence de ta mère, poursuivit-il à l'adresse de David, je te donnerais une bonne correction. À mon avis, on ne donne pas assez de coups de fouet dans cette maison. Moi j'étais fouetté chaque jour, étant enfant, et ça ne m'a pas fait de mal.

— Ça t'a quand même un peu marqué, rectifia Mme Eliot à voix basse.

— Idioties ! rugit M. Eliot en écartant de la table son fauteuil roulant électrique. Ça a fait de moi l'homme que je suis !

— Mais, chéri, tu ne peux pas marcher...

— Un prix dérisoire à payer en échange de manières parfaites !

Il brancha le moteur de son fauteuil et roula vers David avec un petit ronronnement.

— Alors ? ajouta-t-il. Qu'as-tu à dire ?

David prit une profonde inspiration. Le moment qu'il avait redouté toute la soirée était arrivé.

— Je ne peux pas retourner à l'école, dit-il.

— Tu ne peux pas ou tu ne veux pas ?

— Je ne peux pas, répondit David en tirant de sa poche une lettre pour la tendre à son père. J'allais te le dire. J'ai été renvoyé.

— Renvoyé ? Expulsé !

Edward Eliot se tassa dans son fauteuil. Il poussa accidentellement les manettes et recula dans la cheminée. Mme Eliot, qui s'apprêtait à boire une gorgée de vin, poussa alors un petit cri étranglé et renversa le verre sur sa robe.

— Je ne m'y plaisais pas, de toute façon, reprit David.

En temps normal, il n'aurait jamais osé dire une chose pareille. Mais il était déjà dans de si mauvais draps qu'il ne risquait plus rien...

— Tu ne t'y plaisais pas, hein ? hurla son père en

renversant une carafe d'eau sur lui pour éteindre le feu. Le collège Beton est le meilleur du pays ! Tous les gens bien vont à Beton ! Sais-tu combien cela me coûte de t'envoyer là-bas ? Douze mille livres par trimestre, voilà ce que cela me coûte ! Je suis allé à Beton. Ton grand-père y a fait deux scolarités tellement ça lui plaisait. Et tu oses me dire ça en face, tranquillement... !

Sa main avait trouvé le couteau à découper et il l'aurait lancé sur son fils unique si Mme Eliot ne s'était jetée sur lui la première. Elle prit six centimètres de lame d'acier dans la poitrine.

— Pourquoi n'aimes-tu pas Beton ? poursuivit M. Eliot tandis que sa femme s'écroulait sur le tapis.

David déglutit. Il avait déjà repéré la porte de sortie du coin de l'œil. Si les choses tournaient vraiment mal, il pourrait toujours filer dans sa chambre.

— Je trouve cet endroit idiot, répondit-il. Je n'aime pas être obligé de dire bonjour aux professeurs de latin. Je n'aime pas nettoyer les chaussures des autres garçons, porter un chapeau haut de forme et une queue-de-pie, ni manger en équilibre sur une jambe sous prétexte que j'ai moins de treize ans. En plus, il n'y a même pas de filles. Je trouve ça bizarre. Et puis, je n'aime pas tous ces règlements stupides. Quand j'ai été renvoyé, ils ont coupé ma cravate en deux et peint ma veste en jaune devant tout le collège...

— Mais c'est la tradition ! s'étrangla M. Eliot. C'est ainsi dans tous les collèges privés. C'est ce qui me plaisait tant à Beton. Ça ne m'ennuyait pas qu'il n'y ait pas de filles. Quand j'ai épousé ta mère, je ne savais même pas ce qu'était une fille. Il m'a fallu dix ans pour le découvrir !

M. Eliot se pencha pour retirer le couteau de la poitrine de sa femme, et s'en servit pour décacheter la lettre.

M. Eliot,

Je suis au regret de vous annoncer que j'ai dû renvoyer votre fils, David, pour cause de socialisme constant et délibéré.

Quid te exempta iuvat spinis de pluribus una ?

Sincères salutations.

Le directeur,
collège Beton.

— Que dit la lettre ? marmonna Mme Eliot en se redressant péniblement.

— Socialisme !

M. Eliot tenait la lettre entre ses doigts tremblants. D'un geste brusque il la déchira. Son coude atteignit violemment sa femme dans l'œil.

— Je ne veux pas aller dans une école privée, dit David d'un air misérable. Je veux aller dans une école normale avec des gens normaux et...

Il ne continua pas plus loin. Son père avait actionné les manettes de son fauteuil roulant et il se dirigeait rapidement sur lui en pointant le couteau. Mme Eliot poussa un cri de douleur : son mari venait tout simplement de lui rouler dessus. David bondit vers la porte, la franchit, et la claqua derrière lui.

— Si j'avais parlé ainsi à mon père, il m'aurait fait avaler un litre d'essence et puis...

David n'en écouta pas davantage. Il monta dans sa chambre et se jeta sur son lit. Du rez-de-chaussée lui parvinrent des bruits de vaisselle cassée et les cris de ses parents qui se querellaient.

C'était fini. La scène avait été moins pénible qu'il ne l'avait craint. Pourtant, étendu dans la pénombre, David ne put s'empêcher de se demander si le pire n'était pas à venir.

2

Le prospectus

Le lendemain matin, un semblant de sérénité était revenu dans la maison Eliot. David n'osait pourtant pas s'aventurer hors de sa chambre, mais ses parents étaient, eux, attablés devant leur petit déjeuner comme si rien ne s'était passé.

— Tu te sens mieux aujourd'hui, mon petit pot de miel aux noisettes et aux fruits secs ? demanda tendrement Mme Eliot.

— Je ne suis pas du müesli, rétorqua M. Eliot en s'en servant justement une portion. Et cette blessure, ma chère ?

— Pas trop douloureuse, merci, mon chéri, répondit Mme Eliot.

Ils mangèrent leurs céréales en silence. Comme à

son habitude, M. Eliot lut le *Financial Times* de la première à la dernière page, en grinçant des dents, en pouffant, et parfois en gloussant lorsqu'il découvrait que l'un de ses clients venait de faire faillite. En face de lui, Mme Eliot, vêtue d'un peignoir rose vif assorti à ses bigoudis, se cachait derrière le *Daily Mail* et versait un petit verre de vodka dans son bol de céréales. Elle aimait son petit déjeuner relevé.

Ce n'est qu'au moment d'entamer leur œuf à la coque qu'ils se souvinrent de David. M. Eliot était en train de fendiller la coquille avec une petite cuiller quand, tout à coup, son regard étincela, sa moustache frémit.

— David..., grogna-t-il.

— Veux-tu que je l'appelle ? proposa Mme Eliot.

— Qu'allons-nous faire de lui ? dit M. Eliot en recommençant à marteler son œuf, mais trop fort cette fois.

L'œuf explosa, éclaboussant Mme Eliot. Avec un soupir sonore, M. Eliot jeta sa cuiller et plaqua violemment sa main sur le *Financial Times.*

— J'ai toujours espéré qu'il prendrait ma suite dans la banque, reprit-il. C'est pourquoi je lui avais offert une calculette de poche pour ses sept ans, et un attaché-case pour ses huit ans. Depuis dix ans, chaque Noël, je lui fais la faveur spéciale de l'emmener à la Bourse. Et quels remerciements en ai-je ? Hein ? Renvoyé du collège ! rugit M. Eliot en saisissant le journal qu'il déchira en mille morceaux. Lessivé ! Fini !

À ce moment, on entendit dans le hall le bruit du courrier tombant dans la boîte aux lettres. Mme Eliot alla le chercher, pendant que son mari continuait de fulminer tout seul.

— Si je pouvais trouver une école pour le dresser, marmonna-t-il. Pas un de ces endroits ramollis d'aujourd'hui, mais un établissement où l'on croit encore à la discipline. Dans ma jeunesse, je savais ce que la discipline voulait dire ! De nos jours, la plupart des enfants ne savent même pas épeler le mot. Le fouet ! Voilà ce qui leur manque ! Un bon coup de badine sur les fesses... !

Mme Eliot revint dans la salle à manger avec l'habituelle brassée de factures et une grande enveloppe marron.

— *Groosham Grange,* murmura-t-elle d'un air dubitatif.

— Comment ?

— C'est ce qui est écrit là, expliqua-t-elle en lui tendant l'enveloppe. Elle a été postée du Norfolk.

M. Eliot brandit un couteau – sa femme plongea immédiatement sous la table – mais il se contenta de décacheter l'enveloppe.

— Étrange..., murmura-t-il.

— Qu'est-ce que c'est, mon très cher ? questionna nerveusement Mme Eliot en risquant un œil par-dessus la table.

— Un prospectus... pour un collège de garçons,

répondit M. Eliot en roulant son fauteuil devant la fenêtre par où le soleil pénétrait à flots. Mais comment quelqu'un peut-il savoir que nous cherchons justement une nouvelle école pour David ?

— Peut-être par le collège Beton ? suggéra sa femme.

— Je suppose...

M. Eliot ouvrit la brochure. Une lettre en glissa. Il la déplia et lut à haute voix :

« Cher M. Eliot,

Vous êtes-vous jamais demandé où trouver un collège qui dresserait votre fils ? Pas un de ces endroits ramollis d'aujourd'hui, mais un établissement qui croit encore à la discipline *? Et vous est-il jamais venu à l'idée que, de nos jours, la plupart des enfants ne savent même pas épeler le mot* discipline... *? »*

M. Eliot abaissa la lettre.

— Dieu du ciel ! s'exclama-t-il. C'est extraordinaire !

— Quoi ? demanda Mme Eliot.

— J'employais exactement les mêmes termes il y a quelques instants à peine ! Presque mot pour mot !

— Continue, dit Mme Eliot.

M. Eliot reprit la lettre :

« Permettez-nous de vous présenter Groosham Grange. Comme l'indique la brochure ci-jointe, nous sommes un pensionnat et nous offrons un environnement unique à des enfants âgés de douze à seize ans, qui se sont montrés réfractaires aux méthodes modernes d'enseignement.

Groosham Grange est situé sur une île privée, au large de la côte du Norfolk. Aucun service régulier de ferry ne dessert l'île, il n'y a donc pas de congés fixes. En réalité, les élèves n'ont droit qu'à un seul jour de vacances par an. Les parents ne sont jamais invités à l'école, sauf en cas de circonstances exceptionnelles, et seulement s'ils savent nager.

Je suis certain que votre fils profitera pleinement des excellentes méthodes de Groosham Grange et du niveau élevé d'études. J'attends avec impatience de vos nouvelles dans la prochaine demi-heure.

Sincèrement vôtre.

John Kilgraw,
directeur adjoint.

— Une demi-heure ? s'exclama Mme Eliot. Ça ne nous laisse guère de temps pour prendre une décision.

— La mienne est déjà prise, aboya M. Eliot. Un seul jour de vacances par an ! Ça, c'est une idée !

Il feuilleta le prospectus qui, curieusement, ne

contenait aucune photo et qui était rédigé à l'encre rouge sur une sorte de parchemin.

— Écoute ça ! reprit M. Eliot. Ils enseignent toutes les matières, avec un accent particulier sur la chimie, l'histoire ancienne et les études religieuses. Ils ont deux laboratoires de langues, une salle d'informatique, un gymnase entièrement équipé, et c'est l'unique établissement du pays à posséder son propre cimetière ! Ils ont des classes d'art dramatique, de musique, de cuisine, de modelage... et même un cours d'astronomie.

— À quoi sert un cours de gastronomie ? s'étonna Mme Eliot.

— J'ai dit « astronomie », l'étude des étoiles, femme stupide ! corrigea M. Eliot en lui donnant un coup de brochure sur la tête. C'est la meilleure chose qui soit arrivée cette semaine. Apporte-moi le téléphone.

M. Eliot composa le numéro qui était inscrit au bas de la lettre. Il y eut un chuintement, puis une série de déclics. Mme Eliot poussa un soupir. M. Eliot chuintait et cliquetait toujours quand il était excité. Et quand il était de très, très bonne humeur, il sifflait avec son nez.

— Allô ? dit-il lorsque la communication fut établie. Puis-je parler à John Kilgraw ?

— C'est moi-même, répondit une voix douce, presque un murmure. Monsieur Eliot, je suppose ?

— Heu... oui, oui en effet. C'est exact, répondit

M. Eliot, assez stupéfait. J'ai reçu votre prospectus ce matin.

— Avez-vous pris une décision ?

— Absolument. J'aimerais inscrire mon fils dès que possible. Entre nous, monsieur Kilgraw, David m'a causé une grande déception. Une immense déception. Depuis des années j'attends qu'il marche sur mes pas, du moins sur les traces de mon fauteuil roulant puisque je ne peux pas marcher. Il va bientôt avoir treize ans et pourtant le métier de banquier ne semble pas du tout l'intéresser.

— Ne vous inquiétez pas, monsieur Eliot, répondit la voix de son correspondant, apparemment dénuée d'émotion. Après quelques trimestres à Groosham Grange, je suis certain que vous trouverez en votre fils... une personne très différente.

— Quand peut-il commencer ?

— Que diriez-vous d'aujourd'hui ?

— Aujourd'hui ? s'exclama Mme Eliot qui se tordait le cou pour écouter dans le récepteur.

M. Eliot lui en donna un coup qui l'atteignit derrière l'oreille. Mme Eliot tomba à la renverse.

— Excusez-moi, monsieur Kilgraw, reprit M. Eliot. C'était juste la tête de ma femme. Avez-vous bien dit « aujourd'hui » ?

— Oui. Il y a un train qui part de Liverpool Street pour King's Lynn, à une heure cet après-midi. Deux autres élèves doivent le prendre. David pourrait voyager avec eux.

— Magnifique ! Voulez-vous que je l'accompagne ?

— Oh non, monsieur Eliot, répondit la voix d'un ton narquois. Nous n'encourageons pas les visites des parents à Groosham Grange. Nos élèves réagissent plus positivement s'ils sont complètement détachés de leur cadre et de leur famille. Bien sûr, si vous désirez entreprendre ce long et fastidieux trajet...

— Non, pas du tout ! Je le mettrai dans un taxi pour aller à la gare. Et puis non, à la réflexion, il prendra le bus.

— Alors nous l'attendrons ici ce soir. Au revoir, monsieur Eliot.

La ligne fut coupée.

— Ils l'ont accepté ! exulta M. Eliot.

Mme Eliot lui tendit le téléphone pour qu'il raccroche le récepteur. Ce faisant, il lui écrasa accidentellement trois doigts.

C'est alors que David entra, vêtu d'un tee-shirt et d'un jean. Il s'assit nerveusement à sa place et tendit la main vers le paquet de céréales.

Au même moment son père avança brusquement, et projeta le müesli par-dessus son épaule. Pendant ce temps, Mme Eliot plongeait ses doigts endoloris dans la carafe de lait. David soupira. Apparemment, il allait devoir se priver de petit déjeuner.

— Tu n'as pas le temps de manger, déclara M. Eliot. Remonte dans ta chambre et fais tes bagages.

— Je pars où ? demanda David.

— Dans une merveilleuse école que j'ai trouvée pour toi. Emballe ta mère et embrasse tes affaires. Heu !... non. Emballe tes affaires et embrasse ta mère. Ton train part à une heure.

Mme Eliot s'était mise à pleurer, sans savoir si elle pleurait parce que son fils partait, parce qu'elle avait mal aux doigts ou encore parce qu'elle s'était coincé la main dans la carafe de lait. David savait que, de toute façon, cela ne servait à rien d'argumenter. La dernière fois qu'il avait essayé, son père l'avait enfermé dans sa chambre et avait cloué la porte. Il avait fallu deux menuisiers et une brigade de sapeurs-pompiers pour le délivrer. En silence, David se leva et quitta la pièce.

Il ne lui fallut pas longtemps pour faire ses bagages. Il n'avait pas l'uniforme du nouveau collège et ne savait quels livres emporter. Il n'était ni content ni particulièrement triste. Après tout, son père avait déjà supprimé Noël et, quelle que fût cette nouvelle école, la vie ne pouvait y être pire que chez lui.

Cependant, tout en rangeant ses affaires, David éprouva une curieuse sensation. On l'observait. Il en était certain.

Il ferma sa valise, se dirigea vers la fenêtre et regarda dehors. Sa chambre donnait sur le jardin qui était entièrement décoré de plantes en plastique, car sa mère était allergique aux fleurs. Et là, au milieu de la pelouse artificielle, il le vit. C'était un corbeau, ou peut-être une corneille, en tout cas le plus gros oiseau qu'il eût jamais vu. Noir comme du charbon, ses plumes pendaient sur lui comme une cape en haillons. L'oiseau levait la tête et le fixait de ses yeux luisants.

Au moment où David se pencha pour ouvrir la fenêtre, l'oiseau poussa un étrange croassement, prit son envol et s'éloigna au-dessus des toits. Alors David se prépara à partir.

3

Compagnons de voyage

David arriva à la gare de Liverpool Street à midi. Fidèle à sa parole, son père l'y avait envoyé en autobus. Sa mère n'avait pu l'accompagner. Elle avait piqué une crise de nerfs sur le pas de la porte et M. Eliot avait dû lui briser une bouteille de lait sur la tête pour la calmer. Ainsi David était-il seul lorsqu'il traversa le hall de la gare pour se mêler à la file d'attente et prendre son billet.

C'était une longue file... plus longue que tous les trains dans lesquels s'apprêtaient à monter tous ces voyageurs en attente. David dut patienter une vingtaine de minutes avant d'atteindre le guichet et il dut ensuite courir pour attraper son train. Une place lui avait été réservée par l'école.

Il eut à peine le temps de hisser sa valise dans le porte-bagages et de s'asseoir, un coup de sifflet retentit et le train démarra. David colla son visage contre la vitre. Lentement la locomotive gagna de la vitesse et Londres défila dans un bruit de ferraille. Il avait commencé à pleuvoir. La scène lui aurait paru à peine plus lugubre s'il avait cheminé dans un corbillard, pour son propre enterrement.

Une demi-heure plus tard le train quitta la banlieue et fila au milieu de champs mornes. Tous les champs se ressemblent lorsqu'on les regarde au travers d'une vitre, surtout lorsque cette vitre est recouverte d'un centimètre de crasse. David n'avait pas eu le temps de s'acheter un album de bandes dessinées. D'ailleurs ses parents ne lui avaient pas donné d'argent. Découragé, il se tassa sur son siège et se prépara à endurer les trois heures de trajet jusqu'à King's Lynn.

Alors seulement, il remarqua les deux autres passagers assis dans le compartiment, tous deux du même âge que lui, tous deux apparemment aussi moroses que lui. L'un était un gros garçon avec des lunettes rondes cerclées de métal. Il portait un pantalon d'uniforme de collège et un énorme tricot, si épais que l'on se demandait si un mouton n'était pas caché quelque part à l'intérieur. Il avait de longs cheveux bruns ébouriffés qui lui donnaient l'air de sortir de la machine à laver. Dans une main il tenait une barre de Mars à moitié mangée, dont le caramel coulait sur ses doigts.

L'autre passager était une fille. Elle avait un visage rond de garçonnet, avec de courts cheveux bruns et des yeux bleus. Dans son genre elle était très jolie, au goût de David ; du moins elle l'aurait été avec des habits moins bizarres. Le cardigan qu'elle portait aurait pu appartenir à sa grand-mère, son pantalon à sa mère. Quant à son manteau, elle aurait pu le renvoyer à l'expéditeur, quel qu'il fût, car il avait visiblement plusieurs tailles de trop. Elle lisait un magazine. En jetant un coup d'œil sur la couverture, David s'aperçut avec surprise qu'il s'agissait de *Cosmopolitan.* Jamais sa mère n'aurait permis que *Cosmopolitan* franchisse le seuil de la maison. Elle déclarait totalement désapprouver « toutes ces femmes modernes », mais la mère de David datait, il faut bien le dire, de l'ère préhistorique, ou presque.

Ce fut la fille qui, la première, rompit le silence.

— Je m'appelle Jill, dit-elle.

— Moi David.

— Et moi J... J... Jeffrey.

Que ce gros garçon bégaie n'avait, bizarrement, rien de surprenant.

— Je suppose que vous allez dans cette Grange de malheur ? reprit Jill en feuilletant son magazine.

— Groosham, je crois, précisa David.

— Je suis sûre que ça va être horrible. C'est ma quatrième école en trois ans et c'est la seule qui n'accorde pas de vacances.

— Un... un... un jour par an, bredouilla Jeffrey.

— Un... un... un jour me suffira, dit Jill. À peine arrivée, je repartirai.

— À la nage ? demanda David. C'est une île, n'oublie pas.

— Je nagerai jusqu'à Londres, s'il le faut, déclara Jill.

La glace était rompue ; chacun raconta son histoire et comment il avait échoué dans ce train en partance pour la côte du Norfolk. David commença le premier. Il parla du collège Beton, des circonstances de son renvoi et de la réaction de ses parents.

— Je... je... j'étais aussi dans une école p... p... privée, dit Jeffrey. Et on m'a aussi renvoyé. On m'a p... p... pris en train de fumer, derrière le vestiaire de cricket.

— C'est stupide de fumer, décréta Jill.

— Ce n'était pas ma f... f... faute. La b... b... brute de l'école venait de mettre le feu à ma chemise, expliqua Jeffrey en retirant ses lunettes pour les essuyer sur sa manche. On me fait t... t... toujours des farces parce que je suis g... g... gros, que je porte des lunettes et que je b... b... bégaie.

L'école privée de Jeffrey s'appelait le collège Sansdieu, situé dans le Nord de l'Écosse. Ses parents l'y avaient envoyé dans l'espoir de l'endurcir.

Dure, cette pension l'était, en effet. Douches glacées, course à pied de vingt kilomètres, porridge quatorze fois par semaine. Et encore, il s'agissait là d'un régime de faveur pour les enseignants. Car les élèves, eux, devaient en outre faire vingt-cinq pompes chaque matin avant la messe, et vingt et une pendant. Le principal inspectait les classes en tenue léopard et le professeur de gymnastique venait chaque jour à l'école à vélo, exploit remarquable puisqu'il habitait dans les Midlands.

Le pauvre Jeffrey s'était révélé incapable de soutenir ce rythme et le dernier jour du trimestre avait été pour lui réellement le dernier. Le lendemain de son expulsion, son père avait reçu un prospectus de Groosham Grange, mais avec une lettre d'accompagnement bien différente de celle de David. Groosham Grange y apparaissait à la fois comme un complexe sportif, une salle de massages et un camp d'entraînement militaire.

— Mon père a également reçu une lettre, dit Jill. Mais on y présentait Groosham Grange comme un collège très chic, où je pourrais apprendre les bonnes manières, la broderie, et autres bagatelles de ce genre.

Le père de Jill était un diplomate en poste en Amérique du Sud. Sa mère était actrice. Ni l'un ni l'autre ne s'attardait à la maison et Jill ne leur parlait qu'au téléphone. Une fois, sa mère l'avait croisée dans la rue sans la reconnaître. Mais, comme les parents de David, ceux de Jill étaient bien décidés à lui donner une bonne éducation, et ils l'avaient successivement envoyée dans trois écoles privées.

— Je me suis enfuie des deux premières, expliqua Jill. La troisième était une sorte d'école terminale, en Suisse. Je devais apprendre à composer des bouquets de fleurs et à cuisiner, mais je n'étais pas douée. Mes fleurs fanaient avant que je les touche et j'ai intoxiqué le professeur de cuisine avec un de mes plats.

— Que s'est-il passé ensuite ? demanda David.

— Les directeurs de l'école terminale ont décrété qu'il n'y avait plus rien à faire. Ils m'ont renvoyée à la maison. C'est alors que la lettre est arrivée.

Le père de Jill avait sauté sur l'occasion. En fait, il avait sauté dans un avion pour repartir en Amérique du Sud. Sa mère n'était même pas rentrée à la maison. On venait de lui confier deux rôles dans une pantomime de Noël (*Le Coche et la Mouche du coche du Père Noël*) et elle était trop absorbée pour se soucier d'autre chose. La nounou allemande de Jill s'était occupée de toutes les démarches, sans vraiment comprendre de quoi il s'agissait. Et voilà.

Quand chacun eut raconté son histoire, David se dit qu'ils avaient tous trois au moins un point commun. D'une manière ou d'une autre, ils étaient des enfants « difficiles ». Mais comment savoir ce qui les attendait à Groosham Grange ? La lettre adressée à ses parents parlait d'un établissement à l'ancienne mode réservé aux garçons. Celle adressée aux parents de Jeffrey dépeignait une sorte de camp d'entraînement. Quant aux parents de Jill, ils croyaient envoyer leur fille dans un collège chic pour jeunes filles.

— On dirait trois écoles différentes, et pourtant il s'agit de la même, remarqua David.

— Il y a autre chose de b... b... bizarre, ajouta Jeffrey. Ils parlent d'une île près du N... N... Norfolk. J'ai regardé sur une carte et il n'existe aucune île à cet endroit. Pas une seule.

Ils pensèrent à la question en silence pendant quelques instants. Le train s'était arrêté dans une gare et l'agitation régnait dans le couloir à cause des voyageurs qui montaient et descendaient.

— Écoutez, reprit David. Aussi pénible que soit ce collège de Groosham Grange, au moins nous y serons ensemble. Nous devrions conclure un pacte. Nous resterons solidaires... nous contre eux.

— Comme les trois m... m... mousquetaires ? demanda Jeffrey.

— En quelque sorte, oui. Nous ne le dirons à personne. Ce sera comme une société secrète. Et, quoi qu'il arrive, chacun pourra compter sur les deux autres.

— J'ai quand même bien l'intention de m'enfuir, marmonna Jill.

— Nous filerons peut-être avec toi. En tout cas, nous pourrons t'aider.

— Je t... te prêterai m... m... mon maillot de bain, dit Jeffrey.

Jill jeta un coup d'œil à sa taille épaisse, en se

disant que le maillot lui serait plus utile comme parachute, mais elle garda sa réflexion pour elle.

— D'accord, dit Jill. Nous contre eux.

— N... n... nous contre eux, répéta Jeffrey.

— Nous contre eux, dit David en tendant le bras.

Ils se serrèrent la main.

À cet instant, la porte du compartiment s'ouvrit. Un jeune homme entra. La première chose que remarqua David fut son col blanc. C'était un prêtre. La seconde chose fut la guitare.

— La place est libre ? s'enquit le nouveau venu en désignant un siège vide.

— Oui, répondit David en regrettant de n'avoir pas menti.

C'était la dernière chose qu'il souhaitait en ce moment : la présence d'un prêtre-chanteur. Mais il était évident que la place était libre.

Le jeune homme s'avança, avec un de ces larges sourires horripilants.

Âgé d'une trentaine d'années, il avait des joues roses et fraîches, des cheveux blonds, une barbe et des dents exceptionnellement brillantes. Outre le col blanc, il portait une croix en argent, un médaillon de saint Christophe et un insigne « antinucléaire ». Au lieu de poser sa guitare dans le porte-bagages, il l'appuya contre le siège.

— Je suis le père Percival, annonça-t-il comme si quelqu'un semblait le moins du monde intéressé. Mais vous pouvez m'appeler Jimbo.

David regarda sa montre en poussant un grognement. Il leur restait encore deux heures avant King's Lynn et déjà le prêtre s'échauffait la voix comme s'il s'apprêtait à chanter d'une seconde à l'autre.

— Où allez-vous, les enfants ? En vacances tous les trois ? Une petite sortie ?

— Nous allons à l'éc... éc... école, répondit Jeffrey.

— À l'école ? Génial ! Super ! s'exclama le prêtre.

Il s'aperçut soudain, à leur mine, qu'aucun d'eux ne trouvait cela ni génial ni super.

— Allons, courage ! reprit-il. La vie est un grand voyage et vous faites le trajet en première classe quand vous voyagez avec Jésus.

— Je croyais que votre nom était Jimbo, grommela Jill.

— Écoutez-moi, poursuivit le prêtre en ignorant le sarcasme. Je sais comment vous remonter le moral, à vous les jeunes.

Il empoigna sa guitare et pinça les cordes. Elle était horriblement désaccordée.

— Que diriez-vous de quelques cantiques ? J'ai moi-même composé celui-là. Je l'appelle *Jésus, tu es mon pote.* Voilà ce que ça donne...

Dans l'heure qui suivit, Jimbo joua six morceaux de sa composition, puis : *En avant, soldats du Christ, Tout est beau et lumineux* et, comme le 25 décembre approchait, une douzaine de noëls. Enfin, il s'arrêta et reposa sa guitare sur ses genoux. David retint son souffle, priant pour qu'il ne termine pas par un sermon ou, pire encore, en passant dans tout le wagon pour faire la quête. Mais il semblait aussi exténué qu'eux.

— C'est vraiment super ! reprit-il pourtant. Alors dites-moi, Dave, Jeff et Jilly, dans quelle école allez-vous ?

— Groosham Grange, répondit David.

— Groosham Grange ?

Le prêtre resta bouche bée. En une seconde, toute couleur déserta son visage. Ses yeux s'arrondirent et l'une de ses joues, maintenant livides, fut agitée d'un tressaillement nerveux. « Groosham Grange ? » répéta-t-il dans un murmure. Tout son corps se mit à trembler. Lentement ses cheveux se hérissèrent.

L'homme était terrifié. David l'observa. Jamais il n'avait vu une personne aussi épouvantée. Qu'est-ce qui pouvait lui causer une telle frayeur ? Il avait seulement mentionné le nom de l'école. Or, le prêtre le dévisageait comme s'il était le Diable.

— Groosssss...

Le prêtre tenta de prononcer le nom une troisième fois, mais les mots moururent sur ses lèvres qui sifflèrent comme un ballon crevé.

Son cou avait viré au violet et il devint évident, aux soubresauts de son corps, qu'il ne pouvait plus respirer.

— Sssss..., le gémissement s'arrêta.

Les mains du prêtre, soudain recourbées comme des serres, se crispèrent sur son cœur. Puis il s'affaissa jusqu'à terre dans un fracas discordant de bois cassé et de cordes de guitare écrasée.

— Zut, dit Jill. Je crois qu'il est mort.

4

L'île du Crâne

En réalité, le prêtre avait été victime d'une sévère crise cardiaque mais il n'était pas mort. Le contrôleur téléphona pour appeler des secours et, à la gare de King's Lynn, une ambulance l'attendait sur le quai.

David, Jill et Jeffrey aussi étaient attendus. Lorsqu'ils aperçurent l'individu qui les cherchait du regard, ils regrettèrent de n'avoir pas pris l'ambulance.

L'homme était atrocement déformé. Un terrible accident de voiture suivi d'une chute dans une essoreuse industrielle n'aurait pu qu'améliorer son état. Il était haut (ou plutôt court) d'environ un mètre cinquante, car sa tête se trouvait plus près du sol que ses épaules. Cette anomalie était autant due à son cou, qui semblait avoir été brisé, qu'à son dos bossu. Il avait un seul œil, quelques centimètres plus bas qu'il aurait fallu, une joue enflée, l'autre creuse, et le cheveu rare. Il portait une ample veste en cuir et un pantalon très large. Les gens qui le croisaient dans la gare faisaient un tel effort pour ne pas le regarder qu'une malheureuse femme tomba du quai. En vérité, il était extrêmement difficile de remarquer autre chose. Et il brandissait une pancarte où l'on pouvait lire : *Groosham Grange.* Le cœur chaviré, David s'approcha, suivi de Jill et Jeffrey.

— Je m'appelle Gregor, dit l'homme d'une voix gutturale qui ressemblait à un gargouillis. Avez-vous fait bon voyage ?

David dut lui faire répéter sa phrase qui sonnait plutôt comme : « Ahhrvévou vérr bonn rrroyache ? » Quand il eut compris, il répondit d'un simple hochement de tête. Les mots lui manquaient.

— Apportez vos bagages, jeunes maîtres, gargouilla Gregor. La voiture est dehors.

C'était un corbillard.

On l'avait repeint et l'on avait inscrit le nom de l'école sur le côté, mais il était impossible de masquer sa forme, le coffre arrière long et plat destiné à recevoir de sinistres chargements. Les passants non plus n'étaient pas dupes. En apercevant les trois enfants roulant en direction de leur nouveau collège, ils s'arrêtaient dans un silence respectueux en ôtant leur chapeau. David se demanda s'il n'était pas victime d'un horrible cauchemar et s'il n'allait pas se réveiller d'une minute à l'autre dans son lit de la villa Wiernotta. Il se pinça discrètement. En vain. Le bossu jura et klaxonna derrière une camionnette, puis brûla un feu rouge.

Gregor était un conducteur très particulier. Sa taille et la forme de son corps l'empêchaient pratiquement de voir par-dessus le volant. Les piétons dans la rue devaient croire que le corbillard roulait tout seul. Ce fut un miracle s'ils ne renversèrent personne. David, assis à l'avant, se surprit à observer Gregor. Il rougit lorsque celui-ci tourna la tête en souriant.

— Vous vous demandez comment j'en suis venu à ressembler à ça, jeune maître ? remarqua l'homme. Eh bien, je suis né ainsi. Répugnant de naissance. Ma mère en a eu une crise de nerfs. Pauvre maman ! Pauvre Gregor !

Il donna un brusque coup de volant et ils bifurquèrent pour éviter un embouteillage.

— Quand j'ai eu votre âge, poursuivit Gregor, j'ai essayé de me faire engager dans un cirque. Mais ils ont trouvé que j'étais surqualifié. Alors je suis devenu coursier à Groosham Grange. J'adore Groosham Grange. Vous aussi, vous aimerez Groosham Grange, jeune maître. Tous les jeunes maîtres aiment Groosham Grange.

Ils avaient quitté la ville et suivaient maintenant la côte en direction du nord. Ensuite David dut somnoler car il remarqua tout à coup que le ciel s'était assombri. Il crut qu'ils roulaient en pleine mer. La voiture fendait des flots vert sombre. Il se frotta les yeux et regarda par la vitre. Ce n'était pas la mer mais d'immenses champs plats, déserts. Au loin se dressait un grand moulin à vent, dont les façades de bois blanc reflétaient les derniers rayons du soleil couchant. David frissonna. Gregor avait allumé le chauffage mais la désolation du paysage semblait glacer l'air chaud.

Puis il vit la mer. La route (en réalité une piste tout juste carrossable) menait à une jetée en bois gondolé. Un bateau les attendait, à demi caché par les hautes herbes. Un tas de casiers s'empilait sur le pont, recouvert d'un filet crasseux. Une mouette tournait dans le ciel en poussant des cris déchirants. David se sentait lui-même assez broyé.

Gregor arrêta la voiture.

— Nous y sommes, jeunes maîtres, annonça-t-il.

Ils prirent leurs valises et descendirent. Le vent froid les fit frissonner. David se retourna pour observer le chemin qu'ils venaient d'emprunter, mais après quelques virages la route disparaissait totalement et il était impossible de se repérer. Ils se trouvaient quelque part dans le Norfolk, face à la mer du Nord. Sans le moulin à vent, ils auraient pu tout aussi bien être en Chine. Quelle différence cela aurait-il fait ?

— Accueillant, n'est-ce pas ? ironisa Jill.

— Où sommes-nous ?

— Dieu seul le sait. Le dernier village que j'ai vu s'appelait Hunstanton, mais c'était il y a une demi-heure, répondit Jill en resserrant son cardigan autour de ses épaules. J'espère seulement que nous allons arriver très vite.

— Pourquoi ?

— Parce que plus tôt nous arriverons, plus vite je repartirai.

Un homme, qui venait d'apparaître sur le pont du bateau, sauta sur la jetée. Il portait des bottes montantes et une vareuse de pêcheur. Une barbe noire lui mangeait presque complètement le visage, aussi noire que ses yeux luisants qui les fixaient, sous une masse de cheveux emmêlés. Il avait une boucle en or à l'oreille gauche. Avec un sabre et un bandeau sur l'œil, on l'aurait cru tout droit sorti de *L'Île au trésor.*

— Tu es en retard, Gregor, constata-t-il.

— La circulation était mauvaise, Capitaine Baindesang.

— La mer est pire. Les courants sont traîtres, Gregor. Des courants traîtres et des vents traîtres. Et j'ai une femme traîtresse qui m'attend à la maison. Alors filons. (Il dénoua un cordage attaché au bout de la jetée.) Tout le monde à bord ! rugit-il. Hé, toi... le garçon ! Hisse l'ancre !

David fit ce qu'on lui demandait, bien que l'ancre fût si lourde qu'il crut ne jamais pouvoir la remonter. Un instant plus tard, ils prenaient le large. Le moteur toussait, crachotait, tout comme le Capitaine Baindesang. Les trois jeunes gens se tassèrent l'un contre l'autre à l'arrière du bateau. Jeffrey avait pris un vilain teint verdâtre.

— Je... je n'ai p... p... pas le p... p... pied marin, souffla-t-il.

— Ne t'inquiète pas ! gloussa le capitaine qui l'avait entendu. Le bateau non plus !

Un brouillard épais était tombé sur la mer. Ses tentacules d'ouate blanche se tendaient vers le bateau pour l'absorber. En un instant le ciel disparut et tous les sons (les cris de la mouette, le moteur, le clapotis des vagues) devinrent étouffés, lointains. Puis, tout aussi soudainement qu'elle les avait engloutis, la brume se dissipa. Et l'île du Crâne apparut devant eux.

Cette île mesurait environ trois kilomètres de long et un kilomètre et demi de large. Une forêt touffue occupait la partie est. Au sud, une falaise se dressait à pic au-dessus de la mer écumeuse, couleur de craie au sommet mais d'un ocre boueux à la base. Un cordon de terre s'avançait et s'incurvait devant la falaise, et c'est sur ce point que le Capitaine Baindesang mit le cap. Une jetée y avait été construite. Une Jeep découverte attendait à proximité. Mais il n'y avait pas de comité d'accueil, ni aucun signe de l'école.

— Prêt à jeter l'ancre ! cria le capitaine.

Supposant qu'il ne plaisantait pas, David s'en saisit. Baindesang tourna le gouvernail, mit le moteur en marche arrière et poussa un rugissement. David laissa glisser l'ancre. Jeffrey vomit pardessus le bastingage.

Ils étaient arrivés.

— Par ici, jeunes maîtres, dit Gregor. Ce n'est pas loin. Un tout petit trajet en voiture.

Gregor sauta le premier à terre et ouvrit la marche. Jeffrey lui emboîta le pas en traînant péniblement sa valise. David s'arrêta pour attendre Jill. Elle observait le Capitaine Baindesang qui avait déjà remonté l'ancre et quittait la jetée.

— Qu'est-ce que tu attends ? questionna David.

— Nous pourrions avoir besoin de ce bateau, un jour, murmura-t-elle. Je me demande s'il descend parfois à terre.

— Capitaine Baindesang, dit David en frissonnant. Drôle de nom.

— Très drôle, en effet. Mais pourquoi ça ne me fait pas rire ? je me le demande !

Jill tourna les talons et rejoignit la Jeep, d'un pas hésitant.

Il leur fallut dix minutes pour atteindre l'école. Le chemin grimpait en serpentant au flanc de la falaise, puis, en haut, suivait la lisière de la forêt. Jeffrey s'était hissé sur le siège avant, à côté de Gregor. David et Jill étaient assis à l'arrière et se cramponnaient tant qu'ils pouvaient. Chaque fois que la Jeep roulait sur une pierre ou dans une ornière (ce qui arrivait fréquemment), ils sautaient en l'air et retombaient lourdement. À l'arrivée, David savait ce que pouvait ressentir une salade. Cependant il oublia très vite son inconfort en découvrant Groosham Grange.

C'était un immense et lourd bâtiment, plus haut que large, un mélange ahurissant de remparts, de fenêtres à barreaux, de tours pointues, de toits pentus en ardoise grise, de gargouilles grimaçantes et de cheminées hideuses en brique. On aurait dit que les architectes de Westminster Abbey, de la gare Victoria et de l'usine à gaz de Brixton avaient accidentellement mêlé leurs plans pour arriver à ce résultat. Quand la Jeep stoppa devant la porte principale (un panneau en bois massif de trente centimètres d'épaisseur, garni de clous), le tonnerre gronda et un éclair zébra le ciel.

Au loin, un loup hurla.

Puis la porte s'ouvrit lentement en grinçant.

5

M. Kilgraw

Une femme se dressait sur le seuil. L'espace d'un instant, un éclair jeta sur son visage une lumière bleue. Elle sourit et David s'aperçut qu'elle était, finalement, un être humain. De fait, après les monstres qu'étaient Gregor et le Capitaine Baindesang, son apparence normale avait quelque chose de rassurant. Elle était petite et dodue, avec des joues rondes et des cheveux gris noués en chignon. Elle portait des vêtements démodés de style victorien, avec un col montant attaché sous le menton par une broche en argent. Environ cinquante ans, la peau ridée, des yeux qui clignaient derrière les demi-lunettes à monture d'or, elle rappela fugitivement à David sa grand-mère. Puis il remarqua la légère moustache qui ornait sa lèvre supérieure et il décida qu'elle lui rappelait aussi son grand-père.

— Bonjour ! Bonjour ! lança-t-elle d'une voix roucoulante. Tu dois être David. Toi Jill et toi Jeffrey. Bienvenue à Groosham Grange ! (Elle s'effaça pour les laisser entrer, puis referma la porte derrière eux.) Je suis Mme Windergast, l'intendante du collège. J'espère que le voyage n'a pas été trop fatigant ?

— Je suis fourbu, déclara Gregor.

— Je ne m'adressais pas à vous, repoussante créature, aboya l'intendante. Je parlais à ces chers, ces très chers enfants. Nos petits nouveaux !

David jeta un coup d'œil derrière elle, pour repérer les lieux. Ils se trouvaient dans un immense hall caverneux, aux murs lambrissés et couverts de tableaux moisis. Un vaste escalier montait vers un corridor obscur. La pièce était éclairée par un seul lustre. Il n'y avait pas d'ampoules mais, à la place, une centaine de bougies qui brûlaient en grésillant dans des supports en cuivre, et dont l'épaisse fumée noire étouffait le peu de clarté qu'elles diffusaient.

— Les autres sont déjà en train de dîner, annonça Mme Windergast. J'espère que vous aimez le boudin au sang. (Un sourire radieux éclaira son visage. Elle ne leur laissa pas le temps de répondre.) Posez vos valises ici. Jill et Jeffrey, suivez-moi. Toi, David, M. Kilgraw, le directeur adjoint, désire te voir. Il aime accueillir personnellement ses nouveaux élèves. Mais un seul à la fois. Je suppose qu'il recevra les autres demain.

Jill regarda David et haussa les épaules. Il comprit ce qu'elle s'efforçait de lui dire. Mme Windergast se montrait peut-être amicale à leur égard, mais il y avait une dureté dans sa voix qui laissait supposer qu'il valait mieux ne pas la contrarier. David vit Jill et Jeffrey traverser le hall et disparaître sous une voûte, puis il se dirigea vers la pièce que lui avait indiquée l'intendante. Il sentit sa gorge devenir sèche et se demanda pourquoi.

— Sans doute parce que je suis terrifié, se murmura-t-il à lui-même.

Il frappa à la porte.

Une voix, à l'intérieur, le pria d'entrer. Prenant une profonde respiration, David tourna la poignée. Il se retrouva dans un bureau tapissé de livres d'un côté, de tableaux de l'autre. Un grand miroir en pied trônait au milieu. Ce miroir avait quelque chose de bizarre. David le remarqua aussitôt sans pouvoir préciser son impression. Le verre avait été fêlé dans un coin et le cadre doré légèrement tordu.

Un étrange pressentiment faisait dresser les cheveux de David sur sa tête, comme s'ils voulaient s'arracher de son crâne et quitter la pièce au plus vite.

Il fit un effort pour détourner les yeux. Le mobilier du bureau était vieux et miteux. À cela, rien d'étrange : les professeurs semblaient toujours s'entourer de vieux meubles décrépits. Pourtant la poussière et les toiles d'araignée en prenaient ici vraiment trop à leur aise. Face à la porte, devant un rideau en velours rouge, un homme était assis à un bureau et lisait un livre. Il leva les yeux sur David, le visage dénué d'expression.

— Assieds-toi, je t'en prie, dit l'homme.

Il était impossible d'évaluer son âge. Sa peau était pâle et curieusement lisse, comme celle d'un mannequin de cire. Il portait un costume noir avec une chemise blanche et une cravate noire. Quand David s'assit, il referma le livre de ses longs doigts osseux. L'homme était incroyablement maigre. Ses gestes étaient lents et précautionneux. Il donnait l'impression qu'un simple souffle de vent, une toux, un éternuement pouvaient le briser en mille morceaux.

— Je suis M. Kilgraw, reprit-il d'une voix aussi sèche qu'un vieil os. Je suis heureux de faire enfin ta connaissance, David. Nous nous réjouissons tous de t'avoir à Groosham Grange.

David, lui, se réjouissait nettement moins, mais il n'en dit rien.

— L'école peut te paraître... inhabituelle, au premier coup d'œil, poursuivit M. Kilgraw. Anormale même. Mais crois bien, David, que nos enseignements et ce que nous pouvons t'offrir dépassent tes rêves les plus fous. Tu me suis ?

— Oui, monsieur.

M. Kilgraw sourit. Du moins si l'on appelait un sourire cette torsion de la lèvre découvrant l'éclat de ses dents blanches.

— Ne nous résiste pas, David. Essaie de nous comprendre. Nous *sommes* différents. Mais tu l'es aussi. C'est pourquoi tu es ici. Le septième fils du septième fils. Cela fait de toi un être spécial, David. Mais jusqu'à quel point, tu le découvriras bientôt.

David hocha la tête, cherchant la porte du coin de l'œil. Il n'avait pas bien saisi le sens des paroles de M. Kilgraw mais il était évident que l'homme était complètement dingue. S'il était vrai en effet que David avait six sœurs aînées et six horribles tantes (les sœurs de son père) qui lui offraient des cadeaux impossibles à Noël et qui le cajolaient et le tripotaient comme de la pâte à modeler, en quoi cela le rendait-il spécial ? Et comment l'avait-on choisi ? Jamais il n'aurait entendu parler de Groosham Grange s'il n'avait été renvoyé de Beton.

— Les choses t'apparaîtront plus clairement en temps voulu, reprit M. Kilgraw comme s'il lisait dans ses pensées.

Et, selon toute probabilité, il lisait effectivement dans ses pensées. David n'aurait pas été autrement surpris de voir le directeur adjoint ôter un masque et avouer qu'il venait de la planète Mars.

— L'essentiel, pour l'instant, est que tu sois là. Tu es arrivé. Tu es là où est ta place.

M. Kilgraw se leva et contourna le bureau. Il y avait un second livre, relié d'une couverture noire, posé sur le bord, à côté d'une plume d'oie. M. Kilgraw humecta son doigt, ouvrit le livre et tourna les pages. David jeta un coup d'œil. Il entrevit une liste de noms, écrits avec une curieuse encre brune. M. Kilgraw arriva à une page blanche et prit la plume.

— Nous avons une vieille coutume à Groosham Grange, expliqua-t-il. Nous demandons à nos élèves d'inscrire leur nom dans le registre de l'école. Toi et tes deux amis porterez le total de nos pensionnaires actuels à soixante-cinq. Soit cinq fois treize, David. Un très bon chiffre.

David ne voyait pas en quoi soixante-cinq était meilleur que soixante-quatre ou soixante-six, mais il préféra ne pas argumenter. Il tendit la main vers la plume. C'est alors que la chose se produisit.

Quand David avança la main, M. Kilgraw se pencha d'un mouvement brusque. La pointe aiguisée de la plume se planta dans le pouce de David, qui poussa un petit cri.

— Désolé, s'excusa M. Kilgraw d'un air pas du tout désolé. Tu as mal ? Je peux demander à Mme Windergast d'y jeter un coup d'œil, si tu le désires.

— Non, ça va, grommela David en colère.

Peu lui importait que M. Kilgraw voulût s'amuser à un petit jeu avec lui, mais il détestait être traité comme un bébé.

— Dans ce cas, tu auras la bonté d'inscrire ton nom, poursuivit M. Kilgraw. (Il lui tendit la plume, qui maintenant était rouge du sang de David.) Nous n'aurons pas besoin d'encre.

David prit la plume. Il chercha du regard un

encrier, mais il n'y en avait pas. Le directeur adjoint se pencha au-dessus de lui. Il sentit son souffle contre son oreille. David n'avait plus qu'une envie : quitter cette pièce, manger quelque chose et dormir. Il inscrivit son nom. La plume gratta le papier grossier et laissa des marques rouges.

— Excellent ! s'exclama M. Kilgraw en faisant pivoter le registre. Tu peux y aller, maintenant, David. Mme Windergast t'attend.

David recula vers la porte, mais M. Kilgraw l'arrêta.

— Je veux que tu sois heureux ici, David. À Groosham Grange, nous prenons vos intérêts à cœur. Nous sommes là pour vous aider. Une fois que tu l'auras admis, je te promets que tu ne regarderas plus jamais en arrière. Crois-moi.

David n'avait pas la moindre intention d'en discuter maintenant. Il gagna la porte aussi vite que possible, en se retenant pour ne pas courir. Car il avait vu ce qui clochait avec le miroir. Il l'avait vu après avoir signé son nom en lettres de sang, au moment où il se détournait du bureau.

Le miroir renvoyait l'image de tout ce qui se trouvait dans la pièce. Le bureau, les livres, les rideaux, le mobilier, le tapis, et David lui-même. Tout, sauf M. Kilgraw.

6

Premier jour

7 h

Réveillé ce matin par une cloche qui me carillonne dans les oreilles. Le dortoir est perché dans l'une des tours de l'école. Il est circulaire ; les lits sont disposés comme les chiffres sur le cadran d'une horloge. Le mien est à sept heures (qui est aussi l'heure à laquelle j'écris ces lignes). Jeffrey se trouve à côté de moi, à six heures. Je ne crois pas qu'il ait bien dormi. Son oreiller est par terre, ses draps tout chiffonnés. Je ne sais pas comment il s'est débrouillé pour faire un nœud à sa couverture. Aucun signe de Jill. Les filles dorment dans une autre aile.

7 h 30

Je me suis lavé et habillé. Un garçon m'a montré le chemin des douches. Il m'a dit s'appeler William Rufus – ce qui m'a surpris car l'étiquette cousue sur son pyjama indique le nom de Denys Blakeway. Je lui ai demandé pourquoi il portait le pyjama d'un autre, mais il a souri d'un air entendu, comme s'il savait quelque chose que j'ignore. Et je crois qu'il sait vraiment quelque chose que j'ignore.

Les garçons de Groosham Grange ne me plaisent pas. Ils ne sont pas coincés comme ceux de Beton, mais ils sont... différents. Personne n'a bavardé après l'extinction des lumières, hier soir. Pas de bataille de polochons. Rien. À Beton, chaque nouveau pensionnaire a droit à un lit en portefeuille. Ou pire. Ici, personne ne s'est intéressé à moi. C'est comme si je n'étais pas là. Et j'aimerais bien ne pas y être !

7 h 45

Petit déjeuner. Œufs au bacon. Mais le bacon était cru et les œufs ne venaient sûrement pas d'une poule ! Ça m'a coupé l'appétit.

9 h 30

William Rufus (si c'est réellement son nom) m'a conduit à mon premier cours. Il est petit et maigre, avec un nez en trompette et des yeux bleus de bébé. Exactement le type d'élève qui se ferait bizuter à Beton. Mais les bizutages n'existent pas à Groosham Grange. Tout le monde est bien trop sage. Je n'arrive pas à croire que je puisse écrire ça ! Qui a jamais entendu parler d'un écolier sage ?

William et moi avons eu une conversation bizarre en nous rendant en classe.

« C'est un cours de latin, a-t-il dit.

— Je déteste le latin. »

Je croyais avoir un point commun avec lui mais je me suis trompé.

« Ici, tu l'aimeras, m'a-t-il répondu. C'est M. Kilgraw qui enseigne et c'est un bon professeur. »

Il a regardé sa montre et il a ajouté :

« Dépêchons-nous, sinon nous allons arriver en retard.

— Quelle est la punition pour un retard ? ai-je demandé.

— Il n'y a pas de punitions à Groosham Grange.

— De bons profs de latin ? Une école sans punitions ? Je rêve ! »

Mais le cours de latin n'a pas été pénible. À Beton, on l'enseignait comme une langue morte (d'ailleurs le prof n'était pas lui-même en très bonne santé). M. Kilgraw, lui, parle latin couramment. Ainsi que tous les élèves ! À la fin du cours, ils bavardaient tous comme de vieux copains et personne n'a mentionné César ni la Guerre des Gaules.

Autre bizarrerie. Il faisait très beau et pourtant M. Kilgraw a donné son cours volets fermés, une bou-

gie sur le coin du bureau. J'ai questionné William Rufus à ce sujet.

« Il n'aime pas le soleil », m'a expliqué William.

Du moins c'est ce que j'ai cru comprendre, car il m'a répondu en latin.

11 h

Vu rapidement Jill pendant l'interclasse. Lui ai parlé de ce journal. Elle m'a raconté sa journée. J'ignore pourquoi elle n'est pas dans la même classe que Jeffrey et moi.

« J'ai eu M. Creer pour le cours de modelage, m'a-t-elle dit.

— Vous faites quoi, des cruches ?

— Pour être cruches, ils le sont. On fabrique des figurines en cire. Des hommes et des femmes. Et Creer utilise des cheveux véritables. »

Jill m'a montré son pouce. Entaillé exactement comme le mien. Elle a rencontré M. Kilgraw juste après le petit déjeuner.

« Je dois le voir cet après-midi, a dit Jeffrey.

— Apporte ton encrier », lui a suggéré Jill.

12 h 30

Cours avec Mlle Pedicure.

Mlle Pedicure doit avoir une bonne centaine d'années. Elle est à moitié aveugle et complètement chauve. Je crois qu'elle tient debout grâce à ses bandages. Elle semble complètement enveloppée de bandelettes de la tête aux pieds. Je les ai vues dépasser de ses manches et de son col. Il lui a fallu un quart d'heure pour gagner sa place et, quand elle s'est assise, elle a presque disparu dans un nuage de poussière.

Mlle Pedicure a des dents parfaites. Le seul inconvénient, c'est qu'elle les conserve dans un verre posé sur le coin de son bureau.

Elle enseigne Shakespeare. À la façon dont elle en parle, on croirait qu'elle l'a connu personnellement.

13 h 15

Déjeuner. Bifteck haché. Mais quel était donc l'animal avant qu'on en fasse du hachis ? Je crois que je vais mourir de faim, ici.

15 h

J'étais censé avoir un cours de français, cet après-midi, mais le professeur ne s'est pas montré. J'ai questionné William Rufus.

« WILLIAM – C'est sûrement la pleine lune, ce soir, mon cher. Leloup ne donne jamais de cours à l'approche de la pleine lune.

MOI – Il est malade ?

WILLIAM – Eh bien, il n'est plus tout à fait lui-même. »

Nous avions tous un livre à lire mais je n'arrivais pas à me concentrer. J'ai passé la moitié du temps à écrire ces lignes et l'autre moitié à examiner les élèves de ma classe. Je les connais presque tous par leur nom, maintenant : Marion Grant, une rousse avec des taches de rousseur et de grandes dents ; Bessie Dun-

lop, mince et jolie si on ne la regarde pas de trop près ; Roger Bacon, un Asiatique. Depuis quand Roger Bacon est-il un nom asiatique ?

En réalité, tous ces noms sonnent faux. Bessie n'a pas une tête de Bessie. D'où me vient cette impression que tous ces gens partagent un horrible secret ? Et que Jeffrey et moi sommes les seuls à en être écartés ?

16 h 30

Football. Nous avons joué avec une vessie de porc gonflée. J'ai marqué un but mais ça ne m'a pas transporté de joie. Essayez donc de faire une tête avec une vessie de porc gonflée !

18 h

Nous avons eu le reste du porc au dîner. Il tournait sur une broche avec une pomme dans la bouche. Par chance, j'ai pu attraper la pomme.

18 h 30

Je suis retourné dans la classe de M. Leloup pour faire mes devoirs. Du moins c'est ce que j'étais censé faire. En réalité, j'ai continué de rédiger ce journal. Je viens de remarquer quelque chose. En fait, j'ai dû m'en apercevoir dès le début mais je n'en prends conscience que maintenant.

Chaque élève de la classe porte une bague. La même. C'est un anneau d'or avec une pierre noire sertie sur le dessus. Qu'est-ce que cela signifie ? J'ai entendu parler de casquettes et d'écussons de collèges, mais pas de bagues...

Je viens de relire la première journée de mon journal intime. Ça n'a aucun sens. J'ai l'impression de regarder défiler à toute vitesse une cassette vidéo. Je saisis des images mais pas l'histoire.

Si je note tout, je finirai par écrire un énorme livre. Et quelque chose me dit que je devrais garder du temps pour mon testament...

19 h 30

Une heure de liberté avant d'aller au lit. Aucun signe de Jeffrey ni de Jill. Suis allé faire un tour dehors pour prendre l'air.

Le terrain de sport est situé derrière l'école, près d'une forêt. La plus épaisse que j'aie jamais vue. Les arbres forment une sorte de muraille. Il y a aussi une chapelle et un petit cimetière.

Aperçu Gregor assis sur une tombe en train de fumer une cigarette.

« Vous creusez votre tombe en fumant, Gregor ? » lui ai-je lancé.

C'était une blague. Gregor n'a pas ri.

20 h 15

J'ai aperçu par hasard Jeffrey qui bavardait avec William Rufus. Ils avaient l'air très copains. Est-ce mauvais signe ?

20 *h* 40

Au lit. Extinction des lumières dans cinq minutes.

J'ai pris un bain. La salle de bains est antique. Quand on tourne le robinet, l'eau jaillit comme les chutes du Niagara, mais en plus boueux. On sort de la baignoire plus sale que l'on n'y est entré. La prochaine fois, je prendrai une douche.

Après avoir rédigé le paragraphe précédent, j'ai rangé ce journal dans le placard près du lit, avec un crayon pour marquer la page. À mon retour, le cahier était exactement dans la même position, mais le crayon avait roulé à côté.

QUELQU'UN A LU CE JOURNAL PENDANT MON ABSENCE.

Je n'écrirai donc plus une ligne tant que je serai à Groosham Grange. J'ai le sentiment qu'il vaut mieux que je garde mes réflexions pour moi.

QUESTIONS :
Tous les noms sont-ils, faux ? Si oui, pourquoi ?
Quelle est la signification des bagues noires ?
Que se passe-t-il réellement à Groosham Grange ?

Que celui qui lira ces lignes, quel qu'il soit, ne s'inquiète pas. D'une façon ou d'une autre, je trouverai les réponses.

7

Dans le noir

Malgré ses résolutions, David n'avait rien appris de nouveau le lendemain soir. La routine de l'école s'était accomplie normalement (petit déjeuner, latin, histoire, pause, maths, déjeuner, géographie, football), si ce n'est que rien n'était tout à fait normal. Tout se passait comme s'il s'agissait d'un jeu élaboré, dans l'attente du moment où le collège se révélerait sous son véritable jour, dès qu'il n'y aurait plus de témoin.

Il était dix-neuf heures trente. David planchait sur un devoir dans la bibliothèque, pièce assez originale en soi puisqu'elle ne contenait aucun livre. Au lieu d'étagères, les murs étaient garnis de têtes d'animaux empaillées montées sur des socles de bois. Tous ces yeux de verre dardaient un regard vide. Comme c'était prévisible, David éprouva quelques difficultés à se concentrer sur l'histoire élisabéthaine avec deux taupes, un tatou et un sanglier qui copiaient par-dessus son épaule.

Au bout de vingt minutes il abandonna. L'Invincible Armada espagnole ne l'intéressait pas, pas plus apparemment que Mlle Pedicure qui enseignait également l'histoire. Il examina la page qu'il venait de terminer. Elle comportait davantage de taches d'encre et de ratures que de mots lisibles. En soupirant, David la froissa en boule et la jeta dans la corbeille. La boule de papier manqua la corbeille et toucha le grand miroir situé derrière. Poussant un nouveau soupir, David se leva pour aller la ramasser.

Elle avait disparu. Il la chercha derrière la corbeille, sous les chaises, sur la moquette devant le miroir. Rien. La boule de papier avait disparu sans laisser de trace. David se sentit brusquement nerveux, il crut voir le sanglier lui faire une grimace. Il quitta la bibliothèque en courant et claqua la porte derrière lui.

Un étroit corridor voûté conduisait de la bibliothèque au hall d'entrée. C'était ce même corridor qu'il avait emprunté le soir de son arrivée à Groosham Grange, et qui passait devant le bureau de M. Kilgraw. Instinctivement, David ralentit devant la porte. Il entendit alors les voix.

Elles provenaient de la pièce située en face du

bureau de M. Kilgraw, une pièce fermée par une porte en bois sombre sur laquelle ce simple mot : *Directeurs* était inscrit en lettres dorées. Ainsi donc Groosham Grange n'avait pas un, mais deux directeurs ! David engrangea cette information, étonné de n'avoir encore jamais rencontré l'un ou l'autre. Il jeta un regard autour de lui. Les autres élèves avaient quitté la bibliothèque bien avant lui. Il était seul dans le corridor. Il fit semblant de renouer son lacet et s'agenouilla près de la porte.

— ... s'est bien intégré, je crois. David reconnut aussitôt la voix. On ne pouvait pas se tromper sur les syllabes traînantes de M. Kilgraw. « La fille s'est montrée un peu rétive, en classe de modelage, mais je suppose que c'était prévisible.

— Mais ils ont tous signé le registre ? dit alors une voix haut perchée, presque étranglée, qui évoqua à David quelqu'un en train de se débattre contre une cravate trop serrée.

— Sans aucun problème, monsieur Teagle, répondit M. Kilgraw avec un petit rire curieusement mélancolique. Jeffrey, le garçon bègue, est passé en dernier. Il avait apporté son propre stylo et deux bouteilles d'encre ! Finalement j'ai dû l'hypnotiser. Ensuite cela a été facile.

— À votre avis, ce Jeffrey va nous causer des difficultés ? »

Cette voix-là était la plus douce des trois. Le second directeur parlait presque dans un murmure.

— Non, monsieur Fitch, le rassura M. Kilgraw.

Ce sera lui le plus facile. Non. Eliot m'inquiète davantage.

— Comment cela ?

— Eh bien... je n'en suis pas sûr, monsieur Teagle, mais il possède une certaine force de caractère, une indépendance...

— Exactement ce dont nous avons besoin.

— Bien entendu, cependant...

David aurait donné très cher pour en entendre davantage, mais c'est le moment que choisit Mme Windergast pour apparaître. Elle se dirigeait vers la bibliothèque. Elle l'aperçut, s'arrêta net et cligna les yeux derrière ses demi-lunettes.

— Quelque chose ne va pas, David ? demanda-t-elle.

— Oh, heu... non, répondit-il en montrant ses chaussures. Je renouais seulement mes lacets.

— C'est très sage de ta part, mon cher petit. Nous n'aimerions pas te voir trébucher et te casser quelque chose, n'est-ce pas ? Mais ce n'est peut-être pas l'endroit idéal, juste devant la porte des directeurs. Car on pourrait penser que tu écoutes aux portes et cela ferait très mauvaise impression la première semaine de ton arrivée. Tu ne trouves pas ?

— Oh, si, acquiesça David en se redressant. Je suis désolé, madame Windergast.

Il fila aussi vite qu'il le put. L'intendante entra dans le bureau des directeurs. David aurait donné son bras droit pour entendre ce qui se disait maintenant dans la pièce. Mais il ne pouvait courir le risque d'être surpris une seconde fois.

Prudent, il se mit à la recherche de Jeffrey et Jill. Il les trouva devant la salle des professeurs. Jill examinait les casiers, chacun portant le nom d'un professeur.

— As-tu vu le casier de M. Leloup ? dit-elle à David.

— Pourquoi ?

— Il y a un pigeon dedans, répondit Jill avec une grimace en désignant l'oiseau mort. On dirait qu'il a été tué par une bête sauvage.

— Que fait-il là-dedans ? s'étonna David.

— Demande à M. Leloup.

— Si jamais il se m... m... montre, ajouta Jeffrey.

Ils rebroussèrent chemin. L'un des murs du couloir était couvert de placards, les salles de classe donnaient sur l'autre. Deux garçons se dirigèrent vers les dortoirs. Il restait encore une heure avant la sonnerie du coucher, pourtant la plupart des élèves de Groosham Grange semblaient déjà prêts à se mettre au lit. Comme toujours, le silence qui régnait dans l'école aurait mieux convenu à un musée ou à un monastère. De toute la journée, David n'avait entendu une seule porte ni un seul pupitre claquer.

Ils virent une salle déserte et y entrèrent. David ne la connaissait pas encore et il regarda autour de lui avec curiosité. Les murs étaient couverts d'affiches d'animaux. Au lieu d'un bureau, le professeur disposait d'un long comptoir en marbre garni d'appareils scientifiques : un brûleur, un chaudron en métal et divers flacons de produits chimiques. Tout au bout, il y avait un rat blanc enfermé dans une cage et deux crapauds qui louchaient d'un air triste derrière la paroi en verre d'un bocal. Le squelette d'un animal inconnu se dressait dans un coin.

— Ce doit être le labo de biologie, chuchota David.

— J'aimerais bien, dit Jill en secouant la tête. Ces trucs-là sont les restes de mon premier cours de l'après-midi.

— Quel c... c... cou... cours ? demanda Jeffrey.

— Cuisine.

David avala sa salive. Il se souvint de la viande hachée.

— Comparons nos notes, dit Jill en s'asseyant derrière l'une des tables.

— Nos deux premières journées à Groosham Grange, acquiesça David.

— Jeffrey, à toi de commencer.

Jeffrey avait peu à dire. Il était le plus malheureux des trois, encore sous le choc de son entrevue avec M. Kilgraw. Il n'avait pas travaillé, mais passé le dernier cours à écrire une lettre à sa mère. L'ennui, c'est qu'il n'existait aucune boîte pour la poster.

— Je déteste cet endroit, se plaignit-il. Ce n'est p... p... pas dur co... co... comme je croyais. Mais ça ne ressemble à rien de ce q... q... que j'imaginais.

Tous les p... p... profs sont fous. Et p... p... personne ne me taq... taquine sur mon bé... bégaiement.

— Je croyais que tu n'aimais pas être taquiné, remarqua David.

— Oui m... m... mais ce serait p... plus normal.

— Rien n'est normal, ici, le coupa Jill. D'abord ils nous font signer nos noms avec notre sang. Les cours ne ressemblent à aucun autre. Et puis il y a cette histoire de bagues...

— Je les ai remarquées aussi, dit David.

— Ils portent tous la même. Comme une sorte de talisman.

— J'ai trouvé autre chose, ajouta David.

Il raconta ses découvertes de la journée, à commencer par le mystère du pyjama.

— Je me trompe peut-être, dit-il, mais j'ai l'impression que tous les élèves utilisent de faux noms.

— Dans ma classe, il y en a un qui s'appelle Gideon Penman, murmura Jill d'un air abasourdi.

— Tu vois ! Est-ce que c'est un nom ?

— M... m... mais pourquoi utiliseraient-ils de faux noms ? s'étonna Jeffrey.

— Et pourquoi nous font-ils signer nos vrais noms avec du sang ? insista Jill.

— J'ai découvert autre chose à ce sujet, reprit David.

Et il rapporta la conversation qu'il avait surprise dans le bureau des directeurs. Il laissa de côté leurs paroles sur la faiblesse de Jeffrey pour ne pas lui faire de peine, mais aussi parce que c'était probablement vrai.

— Tout ce que je peux dire, conclut-il, c'est que plus tôt nous serons partis d'ici, mieux ce sera. Il se passe des choses bizarres à Groosham Grange. Et, si nous y restons plus longtemps, je crains bien qu'il nous arrive des ennuis.

Jeffrey jeta un regard accusateur à Jill.

— Je c... c... croyais que tu devais te... te... t'enfuir.

— Je le ferai, promit Jill en regardant par la fenêtre. Mais pas ce soir. Une nouvelle tempête se prépare.

L'orage éclata quelques minutes plus tard. Cette fois il n'y eut pas d'éclairs, mais la trombe d'eau n'en fut pas moins spectaculaire. La mer semblait s'être amassée en une vague gigantesque pour s'abattre sur l'école. Au même moment le vent se déchaîna, fouetta les murs de brique. Des volets mal attachés furent arrachés de leurs gonds. Une pierre tombale explosa. Un chêne immense fut fendu en deux.

Le bruit de la chute de l'arbre réveilla David. Il fouilla dans sa table de nuit, trouva sa torche et l'alluma en dirigeant le faisceau sur sa montre. Minuit. Il reposa sa tête sur l'oreiller et regarda par la fenêtre. C'était la pleine lune. On discernait à peine sa forme à travers le rideau de pluie. Plus jeune,

David n'avait jamais eu peur des orages. Aussi fut-il surpris de voir qu'il tremblait.

À nouveau il se redressa. Pendant le bref instant où sa torche avait été allumée, il avait repéré quelque chose du coin de l'œil, quelque chose que son esprit n'avait pas entièrement assimilé. Il ralluma sa lampe et dirigea le faisceau à travers le dortoir.

Jeffrey dormait dans le lit voisin, la tête enfouie sous les couvertures. Mais à part lui il n'y avait personne. Ils étaient seuls. Au moment de l'extinction des lumières, à neuf heures et demie, tous les autres garçons du dortoir dormaient déjà. Maintenant leurs lits étaient vides, les couvertures rejetées. David dirigea la torche sur leurs chaises. Leurs vêtements avaient également disparu.

David hésita un moment, puis, tout doucement, il sortit de son lit, enfila son peignoir et ses chaussons, puis se dirigea vers la porte. Il l'ouvrit lentement. Pas une seule lumière ne brillait dans l'école. Et le silence était plus profond, plus effrayant que jamais.

David vérifia un second dortoir, puis un troisième. Partout les lits étaient vides, les vêtements disparus. Dehors, la pluie continuait de tomber. On l'entendait marteler les vitres. David consulta sa montre, certain d'avoir fait une confusion absurde. Non, il était bien minuit et demi. Où étaient passés les autres ?

Son cœur tambourinait dans sa poitrine comme

s'il le pressait de retourner se coucher et d'oublier toute cette histoire. Mais David était bien réveillé, maintenant, et décidé à découvrir le fin mot de l'histoire, même s'il devait y laisser la vie. Ce qui, songea-t-il, avait de fortes chances de se produire.

Il longea le couloir sur la pointe des pieds, tressaillant chaque fois qu'une lame de parquet craquait. Enfin il atteignit un quatrième dortoir. Il alluma la torche en la pointant sur la poignée de la porte.

Derrière lui, une main jaillit de l'obscurité... se posa sur son épaule.

David sentit son estomac se réduire à la taille d'un petit pois. Il ouvrit la bouche pour crier. Il pivota lentement...

Jill ! C'était Jill. Comme lui, elle portait un peignoir et des chaussons. Mais elle semblait encore plus terrifiée que lui.

— Où sont-ils ? chuchota-t-elle. Où sont-ils partis ?

— Je ne sais pas, c'est ce que j'essayais de découvrir.

— Je les ai vues partir, soupira Jill, soulagée d'avoir trouvé David. Il y a environ vingt minutes. L'une des filles m'a réveillée en quittant le dortoir. J'ai attendu un peu et puis je les ai suivies.

— Où sont-elles allées ?

— Je les ai vus pénétrer dans la bibliothèque. Tous. Toute l'école. J'ai écouté un peu à la porte mais je n'entendais rien. Alors je suis entrée. Mais il n'y avait personne, David. (Jill respira profondément, elle était au bord des larmes.) Ils se sont évaporés.

David revint quelques heures en arrière. Il avait passé un moment à étudier dans la bibliothèque, au milieu de ces têtes d'animaux empaillées. C'était une salle relativement petite, pas assez grande en tout cas pour contenir soixante-trois personnes. À part une table, un miroir, une douzaine de chaises et les animaux, il n'y avait rien. Pas même des portes. Une seule entrée, donc une seule sortie.

— Ils sont peut-être sortis... par une fenêtre, suggéra David.

— Par ce temps ? objecta Jill. De toute façon les fenêtres sont trop hautes. Je le sais... j'ai essayé.

— Alors ils doivent être quelque part dans l'école.

— Non.

Jill s'adossa contre le mur, puis glissa jusqu'au sol et s'assit. Elle était épuisée, et ce n'était pas seulement le manque de sommeil.

— J'ai regardé partout, reprit-elle. Dans les classes, dans le réfectoire, dans la salle des professeurs... partout. Ils ne sont nulle part.

— Ils sont forcément quelque part, insista David. Ils n'ont pas pu disparaître comme ça.

Jill ne répondit pas. David s'assit à côté d'elle et passa un bras autour de ses épaules. Ils restèrent silencieux un long moment. Les derniers mots de David résonnaient encore dans son esprit : « Ils sont forcément quelque part. Ils n'ont pas pu disparaître comme ça. » Pourtant, assis là dans l'obscurité et le silence, il savait qu'il se trompait.

Aussi impossible que cela pût paraître, ils étaient seuls dans Groosham Grange.

8

Noël

Trois jours avant Noël, il commença à neiger.

Le jour de Noël, l'île tout entière était blanche. Le sol était blanc, la mer était blanche. Il était difficile de dire où finissait l'un et où commençait l'autre.

Il n'y avait pas de chauffage central à Groosham Grange. Mais de grosses bûches brûlaient dans les cheminées, sifflant et crépitant comme si elles étaient furieuses de devoir partager leur chaleur. Les fenêtres étaient embuées, les tuyauteries grondaient et gargouillaient sous la pression de l'eau qui se forçait un chemin dans les conduites à moitié gelées. Une colonie de chauves-souris qui nichait dans l'une des tours nord émigra au rez-de-chaussée pour se réchauffer et finit par s'installer dans la salle à manger. Personne ne s'en plaignit. Mais David trouva les repas un peu oppressants avec cette centaine d'yeux qui louchaient sur sa tarte à la rhubarbe du haut des chevrons.

Hormis les chauves-souris et le temps, rien n'avait changé à l'école. Au début David avait trouvé surprenant que personne ne semble se préoccuper de Noël, puis il avait accepté la chose avec une résignation morose. Le Capitaine Baindesang venait à l'école une fois par semaine, le mardi, mais jamais il n'apportait ni n'emportait de lettres, aussi n'y eut-il pas de cartes de Noël. Ni de décorations. En apercevant Mme Windergast avec un bouquet de houx, David s'était senti un peu réconforté... mais seulement jusqu'au déjeuner, quand il avait dû, pour la première fois de sa vie, manger de la soupe au houx. Pas de cartes de Noël, pas de sapin de Noël, et bien sûr pas de cadeaux de Noël. Malgré la neige, personne ne lança de boules et le seul bonhomme de neige se révéla en réalité être Gregor, qui s'était endormi sur sa pierre tombale juste avant la plus grosse tempête et que l'on avait dû décongeler le lendemain.

Une seule personne fit allusion à Noël, et ce fut M. Creer, en instruction religieuse. M. Creer était le seul professeur d'apparence normale de tout le collège. C'était aussi le plus jeune. Il avait environ trente ans, des cheveux courts et bouclés et une fine moustache. Son nom entier était Ronald Edward Creer. David avait été un peu troublé en découvrant le même nom sur une tombe du cimetière du collège : *Noyé près de l'île du Crâne – 1957-1985*, mais il avait supposé qu'il s'agissait d'un parent. Pourtant M. Creer dégageait une forte odeur marine.

— Noël a bien entendu assez peu de rapport avec la chrétienté, expliqua à la classe avec un sourire fantomatique M. Creer. Il existait des fêtes à la fin du mois de décembre bien avant l'apparition de la chrétienté. Les *Saturnales* romaines ou la *Naissance du Soleil* des Perses, par exemple. Dans le Nord, c'est une célébration des esprits des ténèbres, car à Noël les morts sortent de leurs sépultures.

Pour David c'était une découverte, mais il devait bien admettre qu'avec les guirlandes, les Pères Noël devant les grands magasins, les achats de dernière minute, le boudin blanc, les gâteaux et les vieux films à la télé, à Londres non plus, Noël n'avait pas grand-chose à voir avec la chrétienté.

Le 25 décembre commença comme n'importe quel autre jour : douche, petit déjeuner, trois cours d'affilée, déjeuner. Seule différence : les cours de l'après-midi furent annulés. David et Jill se retrouvèrent donc libres de faire ce qui leur plaisait. Comme d'habitude, les autres élèves regagnèrent leur chambrée et leur lit, puisqu'ils occupaient toujours ainsi leur temps de loisir. Puis, tard dans la nuit, ils se rendraient dans la bibliothèque et disparaîtraient.

David et Jill avaient tenté de les suivre à plusieurs reprises, bien décidés à éclaircir le mystère, mais sans succès. Le problème venait de ce qu'il n'existait aucun moyen de suivre les autres dans la bibliothèque sans être repérés et, quand ils ouvraient la porte, tout le monde s'était envolé. Un après-midi ils fouillèrent soigneusement la pièce, certains d'y découvrir un passage secret. Mais s'il existait un passage secret, il possédait une entrée particulièrement secrète. Tous les murs semblaient construits en briques pleines. Une cheminée de pierre occupait l'un d'eux, et un grand miroir en pied se dressait en face. David eut beau pousser et tripoter les têtes d'animaux empaillées, et Jill grimper sur la cheminée, ils ne trouvèrent pas le moindre indice.

Et où était Jeffrey pendant ce temps ?

Depuis leur arrivée à Groosham Grange, Jeffrey avait changé et cela inquiétait David bien plus que toute autre chose. Il se rappelait encore les paroles de M. Kilgraw : « Ce sera lui le plus facile... » Et Jeffrey passait de plus en plus de temps seul, et de moins en moins avec David et Jill. À plusieurs reprises David l'avait surpris en grande conversation avec William Rufus, et malgré ses questions pressantes, Jeffrey avait refusé d'en parler. De plus, malgré l'absence de livres dans la bibliothèque, Jeffrey semblait lire énormément. De vieux ouvrages poussiéreux aux pages jaunies, reliés en cuir usé.

Jill, avec son caractère bouillant, avait fini par déclencher une dispute. Elle s'en était prise à Jeffrey un soir, dans une salle de classe vide où ils discutaient des progrès de leurs découvertes, ou plutôt de leur absence de progrès.

— Que se passe-t-il avec toi ? Tu commences à te comporter comme si tu te plaisais vraiment ici !

— P... p... peut-être que oui, avait répondu Jeffrey.

— Mais cette école est dingue !

— Toutes les éc... éc... écoles sont dingues. Mais c'est mieux ici q... q... qu'à Sansdieu.

— Et notre promesse ? lui avait rappelé David. Nous trois contre eux tous.

— Nous p... p... pouvons être contre eux. Mais je ne suis pas sûr qu'ils soient c... c... contre nous.

— Alors pourquoi ne vas-tu pas tout simplement les rejoindre ! s'était emportée Jill.

Apparemment, c'est ce qu'avait fait Jeffrey.

David et Jill étaient seuls en traversant les terrains de sport, où ils enfonçaient dans la neige jusqu'aux chevilles. Maintenant ils connaissaient chaque centimètre de l'île. Groosham Grange se situait au nord. Une forêt s'étendait jusqu'à la côte sud. Ses arbres semblaient sculptés dans la pierre et dater de mille ans. La pointe où était construit le débarcadère se trouvait à l'extrémité sud, une langue de terre longue et basse dominée par les falaises.

David était certain de distinguer l'entrée d'une grotte au bas des falaises. Il aurait aimé l'explorer mais il n'y avait aucune voie d'accès. Les falaises elles-mêmes étaient trop escarpées pour être escaladées et la pointe était séparée de la grotte par une crique, où les vagues venaient marteler les rochers et les aiguiser comme des aiguilles.

Il y avait également une rivière sur l'île, ou plutôt un large cours d'eau, qui se jetait dans un lac, à côté de la forêt. C'est là qu'ils se rendirent. La surface du lac était gelée. Ils pensèrent que ce serait amusant d'y patiner, mais ils n'avaient pas de patins. Et, de toute façon, ils n'avaient pas le cœur à s'amuser, même si c'était Noël.

— As-tu appris quelque chose depuis ton arrivée ici ? demanda Jill.

— Pas vraiment, admit David après un moment de réflexion. Mais puisqu'il n'y a ni tests, ni examens, ni contrôles, ça n'a pas réellement d'importance.

— Eh bien, moi, j'ai appris une chose, dit Jill en ramassant un caillou pour le jeter de l'autre côté du lac.

Le caillou heurta la glace et glissa dans des touffes d'herbes folles.

— Le bateau vient tous les mardis, poursuivit Jill. Le Capitaine Baindesang décharge le ravitaillement, et ensuite il le transporte en voiture avec Gregor jusqu'à l'école. Donc, pendant environ une heure, il n'y a plus personne sur le bateau.

— Et alors ? dit David soudain intéressé.

— Le surlendemain de Noël tombe un mardi. Pendant qu'ils se rendront à l'école, quelqu'un montera à bord. Moi.

— Mais il n'y a pas de cachette, lui fit remarquer David qui l'avait accompagnée pour explorer le bateau, une semaine plus tôt. Nous avons regardé et...

— Il n'y a pas de place pour deux, admit Jill. Mais l'un de nous peut se dissimuler à l'intérieur de la cabine. Il y a un tas de vieux sacs sur le sol. Je crois que je peux me cacher dessous.

— Alors tu vas vraiment partir, soupira David.

Il ne put réprimer un sentiment de tristesse. Jill était sa seule amie à l'école. Elle partie, il se retrouverait plus seul que jamais.

— Je dois m'en aller, David. Si je reste ici plus longtemps je vais devenir folle... comme Jeffrey. Mais une fois à l'abri j'écrirai aux autorités. Elles enverront quelqu'un. Et je te parie tout ce que tu veux qu'elles fermeront le collège en moins d'une semaine.

— Où iras-tu ?

— J'ai le choix entre quatre frères et deux sœurs, répondit Jill en souriant. Nous sommes une grande famille. Je suis le numéro 7 !

— Est-ce que ta mère avait des frères et sœurs ? questionna David.

Jill lui jeta un regard étonné.

— Pourquoi ?

— Je me demandais seulement...

— À vrai dire, elle aussi était le numéro 7. J'ai six oncles. Pourquoi cette question ?

— La septième fille de la septième fille, murmura David.

Il n'en dit pas plus. Cela paraissait n'avoir aucun sens, et pourtant...

David se posait encore cette question, un peu plus tard ce soir-là, lorsqu'il s'installa dans la bibliothèque. Seul.

Le dîner de Noël (si on pouvait l'appeler ainsi) s'était composé de jambon et de frites, les frites à peine plus tièdes que le jambon. Pour la première fois depuis son arrivée, David se sentait réellement déprimé. Jill était allée se coucher de bonne heure et il n'y avait même pas de télévision pour se distraire. Plus exactement il existait un téléviseur, mais un ancien modèle en noir et blanc rafistolé avec du ruban adhésif. Le bouton du volume avait disparu et la réception était si mauvaise que l'écran ressemblait à une tempête de neige miniature. C'était parfait pour un documentaire sur les mineurs sourds et muets en Sibérie.

La porte s'ouvrit. C'était Jeffrey.

— Salut, dit-il.

— Salut, Da... Da... David.

Le gros garçon resta planté devant la porte, apparemment gêné d'être surpris à cet endroit.

— Il y a un moment que je ne t'ai vu, remarqua David en essayant de se montrer amical.

— Je sais. Je... j'ai été oc... oc... occupé, dit Jeffrey en glissant dans la pièce un regard circulaire, derrière ses lunettes à monture d'acier. En fait, je... je... je cherche William.

— Ton nouveau copain ? rétorqua David d'un ton aigre. Il n'est pas là. À moins, bien sûr, q... q... qu'il ne soit sous le ta... ta... tapis devant la cheminée, ou ailleurs... quelle que soit la cachette dans laquelle tout le monde disparaît chaque nuit ! Tout ce que je peux te dire, c'est que, si tu souhaites te joindre à eux, ils seront ravis !

— Je ne... ne... ne...

Jeffrey s'interrompit, les joues rouges. David était furieux contre lui-même d'avoir perdu son sang-froid. Il voulut se rattraper mais Jeffrey quitta précipitamment la pièce en refermant la porte derrière lui.

David se leva. « ... Ce sera le plus facile. » Une fois encore les paroles de M. Kilgraw lui revinrent en mémoire. Bien sûr Jeffrey serait le plus facile des trois, quels que soient les plans des gens de Groosham Grange. Jeffrey était gros, il portait des lunettes et bégayait. En le rejetant, David l'avait poussé entre leurs mains. Au début, ils étaient trois. Maintenant, par son manque de délicatesse, Jeffrey se retrouvait seul après le départ de Jill.

David courut à sa suite, mais Jeffrey avait déjà disparu au bout du corridor. Tant pis. Si David pouvait découvrir ce qui se tramait à Groosham Grange, derrière la façade des cours et de la vie quotidienne d'une école, alors il serait capable d'y mettre un terme, et de sauver Jeffrey et lui-même par la même occasion. Et il n'y avait pas de meilleur endroit pour commencer son enquête. La réponse devait se trouver dans l'une des deux pièces.

David commença par la porte marquée : *Directeurs*. Depuis qu'il était au collège, jamais encore il n'avait rencontré aucun des deux hommes, M. Fitch et M. Teagle. S'il n'avait entendu leurs voix, David aurait douté de leur existence. Il frappa doucement à la porte. Comme il s'y attendait, personne ne répondit. Alors il tourna la poignée. La porte s'ouvrit.

La pièce lui évoqua davantage une chapelle qu'un bureau. Les fenêtres étaient des vitraux représentant des scènes de ce qui ressemblait au Jugement dernier, avec des diables armés de fourches qui poussaient des hommes et des femmes nus dans des flammes. Le sol était dallé de marbre noir. Il n'y avait pas de tapis. Les bibliothèques étaient remplies de livres anciens comme ceux que lisait Jeffrey, et il y avait même une chaire dans un coin, avec un aigle sculpté portant une bible sur ses ailes déployées.

Un mystère planait dans cette pièce. S'il y avait deux directeurs à la tête de Groosham Grange, pourquoi leur bureau ne contenait-il qu'une seule table de travail, un seul fauteuil, une seule toge et une seule toque sur le portemanteau derrière la porte ? Les tiroirs du bureau étaient verrouillés et aucun papier ne traînait. David passa cinq minutes dans la pièce, puis sortit aussi silencieusement qu'il était entré.

Il lui fallut plus de courage pour se glisser dans le bureau de M. Kilgraw, situé juste en face. David se rappelait sa dernière visite : il portait encore une marque sur son pouce en souvenir. Il poussa la porte en se disant : « Il ne va pas te manger », et en s'efforçant de le croire.

Malgré l'absence du directeur adjoint, David eut l'impression d'être épié. Il se figea, osant à peine respirer. La pièce était vide. Il fit un autre pas. Les yeux le suivirent. Il s'arrêta à nouveau. Alors, il comprit ce qui se passait. Les tableaux ! Il y avait sur les murs des portraits de vieux messieurs sinistres qui semblaient avoir été peints des années après leur mort. Mais leurs yeux suivaient David chaque fois qu'il faisait un pas.

David s'arrêta devant ce qui ressemblait à une commode et posa une main dessus. Le bois vibra sous ses doigts. Il retira vivement sa main. Avait-il rêvé ? Non. Dans le silence lui parvenait un imperceptible bourdonnement. Et cela venait du meuble.

Il tira un des tiroirs.

Première découverte : c'était une fausse commode. Les trois tiroirs étaient en réalité un panneau qui s'ouvrait comme une porte, et la commode un réfrigérateur très moderne.

David en inspecta le contenu et faillit s'étrangler : ce réfrigérateur ne contenait ni lait, ni beurre, ni œufs. À la place s'alignaient une trentaine de sachets en plastique suspendus à des crochets, tous remplis d'un liquide rouge sombre. « C'est du vin, murmura David. Ce ne peut être que du vin. Ça ne peut pas être autre chose. Ça ne peut pas être... du *SANG* ! ».

C'était pourtant bel et bien du sang. Le vin ne se vendait pas en sachets. Aucun vin ne s'appelait *AB POSITIF*. David ne désirait même pas savoir ce que ces trente demi-litres de AB positif faisaient dans le bureau de M. Kilgraw. Il ne voulait rien savoir. Il voulait sortir de là avant de finir liquéfié dans un des sachets, sur l'étagère du bas.

Pourtant il parvint à se maîtriser. Il était trop tard pour reculer. Il devait profiter de cette occasion pour fouiller le bureau. Pour Jeffrey le temps pressait. David respira profondément. Il n'y avait personne dans les parages. Personne ne soupçonnait sa présence ici.

Il s'approcha du bureau. Le livre sur lequel il avait signé son nom le soir de son arrivée était à la même place. Il l'ouvrit d'une main tremblante. Il voulut humecter son index mais sa bouche était sèche et il se servit de sa paume moite pour tourner les pages. Son regard tomba aussitôt sur les trois derniers noms : *DAVID ELIOT, JILL GREEN, JEFFREY*

JOSEPH. Leur couleur était passée du rouge au brun mais ils restaient plus vifs que les noms des pages précédentes. Penché au-dessus du bureau, David commença à lire.

En quelques secondes il s'aperçut qu'il ne reconnaissait pas un seul nom. Il n'y avait ni William Rufus, ni Bessie Dunlop, ni Roger Bacon. Ainsi il avait vu juste. Les autres élèves avaient changé d'identité peu après leur arrivée. La seule question était : pourquoi ?

David referma le registre. Quelque chose venait d'attirer son attention, à l'autre coin de la table, un objet qui n'était pas là lors de sa première visite. C'était une bague, une pierre noire montée sur un anneau d'or plein. David tendit la main... et poussa un cri. La bague était chauffée à blanc. On l'aurait crue à peine sortie du four. Bien sûr, c'était impossible. La bague se trouvait sur le coin de ce bureau depuis qu'il était entré. Ce devait être une illusion. Mais illusion ou pas, ses doigts le brûlaient encore et la peau cloquait.

— Que fais-tu là ?

David se retourna d'un bond, oubliant momentanément sa douleur. M. Kilgraw était dans la pièce. Mais comment était-ce possible ? La porte ne s'était pas ouverte. David n'avait rien entendu. Comme à son habitude le directeur adjoint était vêtu de noir, une tenue d'enterrement. Sa voix avait semblé plus curieuse qu'hostile, mais on ne pouvait se méprendre sur la lueur menaçante de ses yeux. Tout en serrant ses doigts endoloris, David cherchait désespérément une excuse.

« Frigo, me voici ! » songea-t-il.

— Que fais-tu ici, David ? questionna M. Kilgraw pour la seconde fois.

— Je... je vous cherchais, monsieur.

— Pourquoi ?

— Eh bien... pour vous souhaiter joyeux Noël, monsieur, répondit David, saisi d'une inspiration.

Les lèvres de M. Kilgraw se retroussèrent légèrement.

— Une très charmante attention, dit-il d'un ton qui signifiait : « Voilà une bien bonne plaisanterie ! » Tu t'es brûlé ?

— Oui, monsieur, admit David en rougissant. J'ai vu la bague et...

M. Kilgraw s'avança. David évita soigneusement de regarder le miroir. Il savait ce qu'il verrait, ou plutôt ce qu'il ne verrait pas. Il patienta en silence, inquiet de ce qui allait suivre, tandis que le directeur adjoint s'asseyait derrière son bureau.

— Il est parfois prudent de ne pas regarder les choses qui ne nous sont pas destinées, David, dit M. Kilgraw. Surtout celles que nous ne comprenons pas.

M. Kilgraw tendit la main pour prendre la bague. David fit une grimace mais M. Kilgraw garda tranquillement l'anneau dans le creux de sa paume.

— Je dois avouer que tu me déçois beaucoup, David, poursuivit M. Kilgraw. Malgré notre dernière petite conversation, il semble que tu n'aies fait aucun progrès.

— Renvoyez-moi ! rétorqua David, surpris de sa propre audace.

Rien n'aurait pu lui faire davantage plaisir.

— Oh non ! On ne renvoie jamais personne de Groosham Grange ! gloussa M. Kilgraw. Nous avons eu des élèves difficiles, dans le passé, mais ils ont fini par nous accepter... comme tu le feras un jour.

— Que voulez-vous de moi ? s'emporta David, incapable de se contenir plus longtemps. Que se passe-t-il ici ? Je sais que ce n'est pas une véritable école. Il se trame quelque chose d'horrible. Pourquoi ne me laissez-vous pas partir ? Je n'ai jamais demandé à venir. Laissez-moi m'en aller et oubliez mon existence ! Je déteste cet endroit. Je vous déteste tous. Jamais je ne vous accepterai, pas tant que je vivrai.

— Combien de temps, à ton avis ?

La voix de M. Kilgraw était subitement devenue glaciale. Chaque syllabe se détachait comme une sentence de mort. David frissonna. Il sentit les larmes lui monter aux yeux. Pourtant il était fermement décidé à ne pas pleurer. En tout cas pas devant M. Kilgraw.

Mais celui-ci sembla se radoucir. Il posa la bague et se renversa sur son fauteuil, avant de reprendre la parole d'une voix plus neutre :

— Il y a tant de choses que tu ignores, David.

Mais un jour cela changera. Pour l'instant, tu ferais bien de montrer cette brûlure à Mme Windergast. (Il porta un doigt décharné au coin de sa bouche et réfléchit un instant en silence.) Dis-lui d'utiliser son onguent spécial. Tu verras, je suis certain que cela te permettra de trouver un sommeil plus... reposant.

David tourna les talons et quitta la pièce.

Il était tard. Personne ne rôdait dans les couloirs. David monta l'escalier, l'esprit très absorbé. Il n'irait pas voir Mme Windergast. Si M. Kilgraw conservait du sang dans son réfrigérateur, que contenait la pharmacie de Mme Windergast ? Ses doigts le faisaient terriblement souffrir mais n'importe quelle douleur valait mieux qu'une autre entrevue avec un professeur de Groosham Grange.

Aussi fut-il très ennuyé de trouver l'intendante qui le guettait devant la porte de l'infirmerie. Il devait exister un système de téléphone interne dans le collège car elle savait déjà de quoi il souffrait.

— Laisse-moi examiner ta pauvre petite main, dit-elle en roulant les *r*. Entre et assieds-toi pendant que je cherche un pansement. Nous ne voulons pas que cela s'infecte, n'est-ce pas ? Mon époux est mort d'une infection. Dieu ait son âme. C'était horrible à voir, à la fin, crois-moi. Et ça a débuté par une égratignure... (Tout en parlant elle poussait David à l'intérieur de l'infirmerie, sans lui laisser une chance de protester.) Installe-toi ici, je vais chercher ma trousse, conclut-elle d'un ton autoritaire.

David s'assit. La pièce était petite et confortable

avec un poêle à gaz, une moquette colorée et des coussins. Des tapisseries étaient accrochées aux murs et quelques bandes dessinées jonchaient une table basse. David embrassa l'ensemble d'un coup d'œil. L'intendante s'affairait à l'autre bout de la pièce devant une armoire à pharmacie en miroir. Lorsqu'elle l'ouvrit, David aperçut le reflet d'un oiseau sur un perchoir. Un instant il pensa avoir rêvé, mais il découvrit l'animal à proximité de la fenêtre. C'était un corbeau noir. Il le crut d'abord empaillé comme les autres bêtes dans la bibliothèque, mais le corbeau croassa et battit des ailes. David frissonna en se rappelant celui qu'il avait aperçu dans le jardin de ses parents, le jour de son départ.

— C'est Wilfred, expliqua Mme Windergast en revenant s'asseoir près de David. Certaines personnes ont des poissons rouges, d'autres des hamsters. Moi j'ai toujours préféré les corbeaux. Mon mari ne l'aimait pas beaucoup. En vérité, c'est Wilfred qui l'a écorché. Parfois, il peut être très vilain ! Bien, jetons un coup d'œil à cette main.

Mme Windergast soigna sa brûlure avec toutes sortes de crèmes antiseptiques et des pansements.

— Et voilà ! s'exclama-t-elle lorsqu'elle eut fini. C'est mieux !

David voulut se lever mais l'intendante l'arrêta d'un geste :

— Dis-moi, mon petit, comment trouves-tu Groosham Grange ?

David était fatigué. Il en avait assez de finasser. Alors, il lui dit la vérité.

— Les élèves sont bizarres, répondit-il. Les enseignants sont dingues, l'île est horrible et l'école semble sortie d'un film d'horreur. Je voudrais rentrer chez moi.

Mme Windergast lui adressa un sourire éblouissant.

— Mais en dehors de cela tu es parfaitement heureux, n'est-ce pas ?

— Madame Windergast...

L'intendante l'interrompit :

— Bien sûr, je comprends, mon petit. C'est toujours difficile au début. C'est pourquoi j'ai décidé de t'administrer un peu de mon onguent spécial.

— Ça sert à quoi ?

— Il t'aidera seulement à passer une bonne nuit, expliqua Mme Windergast en sortant un tube de sa poche de tablier.

Elle dévissa le bouchon et lui tendit le tube. Le baume était épais et gris foncé mais, curieusement, son odeur était plutôt agréable : une odeur un peu amère d'herbe sauvage. Le seul fait de la respirer relaxa David et l'irradia d'une douce chaleur.

— Il suffit de s'en masser le front, dit Mme Windergast d'une voix qui lui sembla lointaine. Les effets sont merveilleux. Tu verras.

David ne pouvait pas refuser. Il ne *voulait* pas refuser. Le baume était tiède. Et à peine avait-il touché la peau, qu'il semblait se répandre dans les muscles, dans la chair, jusqu'aux os.

— Maintenant va te coucher, David. Et fais de beaux rêves.

Était-ce Mme Windergast qui lui parlait ? Il aurait juré que sa voix avait changé.

Et David, cette nuit-là, rêva.

Il se souvint de s'être déshabillé puis couché. Ensuite il avait dû dormir. Mais ses yeux étaient ouverts et il avait conscience de ce qui se passait autour de lui. Les autres garçons du dortoir quittèrent leur lit. Ce n'était pas une surprise, bien sûr. David roula sur le côté et ferma les yeux.

Ou plutôt c'est ce qu'il eut l'intention de faire. Car ensuite il se retrouva tout habillé et il suivit docilement ses camarades. Il trébucha en haut des marches et sentit une main solide le retenir. C'était William Rufus. David sourit, William lui rendit son sourire.

Ils entrèrent dans la bibliothèque. Ce qui se passa ensuite fut assez confus. David se regarda dans le miroir, le grand miroir qui faisait face à la cheminée, et puis il pénétra dans le miroir, en plein dans la glace. Il s'attendait à ce qu'elle se brise, mais elle ne se brisa pas et il se retrouva de l'autre côté. William Rufus lui tira le bras. David avança.

Un passage étroit et sinueux s'enfonçait profondément dans le sol, entre deux parois rocheuses. L'air sentait l'eau salée. Puis le rêve se fragmenta à l'infini. David avait l'impression que, finalement, le miroir s'était brisé et qu'il ne voyait plus que des images réfléchies par ses multiples éclats : une immense caverne très profonde, des stalagmites argentées surgissant du sol et rejoignant les stalactites suspendues au-dessus. Ou bien était-ce l'inverse ?

Un grand feu de bois projetait des ombres fantastiques. Tout le collège rassemblé là attendait en silence quelque chose... ou quelqu'un. Soudain, un homme surgit de derrière un rocher. Ce fut une vision que David ne put se contraindre à regarder car c'était la chose la plus horrible qu'il eût jamais vue à Groosham Grange. Mais plus tard il s'en souviendrait.

Deux directeurs, mais un seul bureau, un seul fauteuil.

Le rêve se poursuivit de façon décousue comme le font tous les rêves : des paroles, un banquet, un repas de Noël comme jamais David n'en avait eu. La viande rôtissait au-dessus d'un feu de bois. Du vin coulait à flots de pichets en argent. Il y avait des puddings, des gâteaux, des tartes et, pour la première fois, les élèves de Groosham Grange riaient, criaient, se comportaient comme des êtres vivants. De la musique montait du sol. David chercha Jill et, à sa grande surprise, il la vit. Ils dansèrent ensemble pendant, lui sembla-t-il, des heures ; cela ne dura pourtant que quelques minutes.

Soudain tout le monde se figea, une silhouette fendit la foule pour se diriger vers la dalle de pierre.

David voulut crier mais il n'avait plus de voix. La silhouette, c'était Jeffrey. M. Kilgraw l'attendait, tenant la bague. Jeffrey souriait, radieux comme jamais David ne l'avait vu. Il prit la bague et l'enfila. Alors, d'une seule voix, tous les élèves poussèrent des vivats. L'écho se répercuta dans la caverne et c'est avec cette clameur dans les oreilles que...

David se réveilla.

Il avait la migraine et un goût désagréable dans la bouche. Il se frotta les yeux en se demandant où il était. Un soleil froid de matin d'hiver pénétrait dans la pièce. David se redressa lentement et regarda autour de lui.

Il était dans son *lit*, à sa place habituelle dans le dortoir. Ses vêtements se trouvaient exactement là où il les avait posés la veille au soir. Il examina sa main. Le pansement n'avait pas bougé. Autour de lui, les garçons s'habillaient, le visage aussi neutre que d'habitude. David repoussa ses couvertures. Cela n'était rien d'autre qu'un cauchemar. Il esquissa un sourire. Marcher dans un miroir ? Danser avec Jill dans une caverne souterraine ? Bien sûr, c'était un rêve.

David s'étira. Il se sentait inhabituellement ankylosé, ce matin, comme s'il avait couru trente kilomètres. Il se tourna. Jeffrey était assis sur le lit, à moitié vêtu. David songea à leur dernière entrevue dans la bibliothèque et poussa un soupir. Il avait certaines choses à mettre au point.

— Bonjour, Jeffrey, dit-il.

— Bonjour, David, répondit Jeffrey d'un ton un peu hostile.

— Écoute... Je voulais te présenter mes excuses pour hier. D'accord ?

— Tu n'as pas besoin de t'excuser, David, dit Jeffrey en enfilant sa chemise. C'est oublié.

Pendant ce très bref instant, David remarqua une foule de choses. Mais elles l'assaillirent si rapidement qu'il ne sut laquelle l'avait frappé en premier.

Jeffrey avait changé.

Il ne semblait pas seulement hostile, il l'était véritablement. Sa voix était devenue aussi impassible et distante que celle des autres.

Il ne bégayait plus.

Et la main qui boutonnait sa chemise était différente, elle aussi.

La main de Jeffrey portait une bague noire.

9

Une lettre

Le lendemain de Noël, David s'assit pour écrire une lettre à son père :

Groosham Grange
Île du Crâne, Norfolk
26 décembre

Cher Papa,

C'est une lettre très difficile à écrire.

Si difficile, en fait, qu'il recommença trois fois la première phrase avant d'être satisfait, et sans même être tout à fait sûr d'avoir écrit *difficile* correctement.

Je sais que je t'ai toujours causé des déceptions. Le métier de banquier ne m'a jamais intéressé et on m'a renvoyé de Beton. Mais je comprends maintenant combien j'ai eu tort. J'ai décidé de devenir caissier à la Banque d'Angleterre. Et si la Banque d'Angleterre ne veut pas de moi, j'essaierai la Banque d'Allemagne. Je suis sûr que tu seras fier de moi si je deviens le Bismarck du guichet.

David ratura cette dernière phrase. La cloche du déjeuner retentit. David ne revint s'asseoir qu'une heure plus tard pour rédiger le paragraphe suivant :

Mais je dois te demander une chose. JE T'EN SUPPLIE, RETIRE-MOI DE GROOSHAM GRANGE. *Ce n'est pas que je n'aime pas l'endroit (bien que je ne m'y plaise pas du tout), mais ça n'est pas ce que tu espérais. Si tu savais... jamais tu ne m'y aurais envoyé.*

Je crois qu'ils font de la magie noire. M. Kilgraw, le directeur adjoint, est un vampire. M. Creer, qui enseigne la poterie, l'éducation religieuse et les maths, est mort. Et Mlle Pedicure, qui enseigne l'anglais et l'histoire, devrait l'être, car elle a au moins six cents ans ! Tu penseras sûrement que je suis fou en lisant cela...

David relut ces dernières phrases et se dit que, en effet, il devenait vraiment fou.

... mais je te promets que je dis la vérité. Je crois

qu'ils veulent me transformer en une sorte de zombie, comme ils l'ont déjà fait avec mon copain Jeffrey. Il ne m'adresse plus la parole. Il ne bégaie même plus. Et je sais que, si je reste ici plus longtemps, mon tour viendra aussi.

David respira à fond. Sa main était si crispée sur le stylo qu'elle lui faisait mal. Il s'efforça de se relaxer, tira la page devant lui, et continua :

Je ne peux pas décrire toutes les choses qui se sont passées depuis mon arrivée ici. Mais on m'a tailladé, drogué, menacé et presque fait mourir de peur. Je sais que grand-père te faisait tout cela lorsque tu étais enfant, mais je ne trouve pas ça juste car je n'ai rien fait de mal et je ne veux pas devenir un zombie. Je t'en prie, viens visiter l'école. Tu comprendras ce que je veux dire.

Je ne peux pas te poster cette lettre parce qu'il n'y a pas de boîte aux lettres sur l'île. Et si tu m'as écrit, sache que je n'ai rien reçu. Je vais remettre cette lettre à une amie, Jill Green. Elle projette de s'enfuir demain et m'a promis de te la poster. Je lui ai aussi donné ton numéro de téléphone et elle t'appellera (en P.C.V.). Elle pourra te raconter tout ce qui est arrivé et j'espère que tu la croiras.

Je dois m'arrêter là, car c'est l'heure du cours de chimie. On nous enseigne le secret de la vie.

AU SECOURS !

Ton fils, David.

Au moins, personne n'était entré dans la bibliothèque pendant qu'il écrivait. David avait griffonné les mots en gardant un œil sur la porte, et l'autre sur le miroir, si bien que les lignes partaient dans tous les sens et que leur lecture donnait le mal de mer. Mais ça ferait l'affaire. Il plia la feuille en quatre. Il n'avait pas d'enveloppe mais Jill avait promis d'en acheter une, ainsi qu'un timbre, dès qu'elle serait de l'autre côté.

Si tout se passait comme prévu, le Capitaine Baindesang arriverait le lendemain matin à dix heures. Jill sécherait le deuxième cours et se cacherait près du débarcadère. Dès que Gregor et le capitaine auraient déchargé les provisions pour les transporter à l'école, elle monterait sur le bateau et se glisserait sous les vieux sacs. Le bateau repartirait à onze heures. À midi, Jill serait hors de danger, en train de faire de l'auto-stop en direction du sud.

Il fallait que Jill réussisse à s'enfuir. C'était le seul espoir de David.

Tout en se dirigeant vers la salle de cours, David réfléchissait. En supposant que Jill puisse poster la lettre et que son père la lise, celui-ci croirait-il son histoire ? Quelqu'un la croirait-il ?

David n'était pas certain d'y croire lui-même.

10

L'inspecteur

Jill ne quitta même pas l'île.

Le Capitaine Baindesang la découvrit recroquevillée sous les vieux sacs et la redéposa, tremblante et misérable, sur la terre ferme.

— Alors, comme ça, tu pensais pouvoir me rouler, ma jolie ? s'exclama-t-il avec un sourire de travers. Tu crois que je ne connais pas la ligne de flottaison de mon propre bateau ? Je m'apercevrais de la présence à bord d'un anchois en surnombre ! Une traversée à l'œil, c'est ça que tu avais en tête ? Eh bien, il te faudra en écumer des océans, avant de pouvoir filouter un Baindesang !

Pendant toute la semaine qui suivit l'incident, Jill attendit dans l'angoisse ce qui allait lui arriver. David lui avait raconté, sans d'ailleurs lui apporter aucune consolation, que, si l'on vous surprenait à faire une fugue de Beton College, on vous rasait la tête et vous deviez marcher pendant un mois avec vos lacets de chaussures noués ensemble. Mais rien n'arriva à Jill. Les punitions n'existaient pas à Groosham Grange. Et si le Capitaine Baindesang s'était donné la peine de signaler l'incident à la direction, personne n'avait réagi.

Ainsi David et Jill étaient-ils encore ensemble à la fonte des neiges, lorsque l'hiver s'effaça en ruisselant devant le printemps. Ils vivaient sur l'île depuis maintenant sept semaines. À l'école, rien n'avait changé. Ils étaient toujours des marginaux. Mais David savait que lui-même avait changé, et cela l'effrayait.

Il commençait à apprécier la vie sur l'île. Presque malgré lui il réussissait bien en classe. Le français, l'histoire, les maths, même le latin. Il apprenait facilement. Il jouait dans la première équipe de football, et bien qu'aucune autre école ne vînt disputer de matches sur l'île, il prenait plaisir à jouer, même avec le ballon en vessie de porc. Et puis il y avait Jill. David comptait sur elle autant qu'elle comptait sur lui. Ils passaient tous leurs loisirs ensemble, à se promener, à bavarder. Elle était devenue l'amie la plus proche qu'il eût jamais eue.

L'échec de son évasion l'avait soulagé. Et c'est bien ce qui l'inquiétait. Malgré le soleil et les premières lueurs du printemps, quelque chose de diabolique se passait à Groosham Grange. Et lentement, sûrement, cette chose absorbait David. S'il commençait à se plaire ici, dans combien de temps deviendrait-il comme les autres ?

Jill l'aidait à garder la tête froide. L'Opération Bouteille était son idée. Chaque jour, pendant une semaine, ils volèrent toutes les bouteilles possibles pour les jeter à la mer avec un message d'appel au secours à l'intérieur. Ils adressèrent des bouteilles à leurs parents, à la police, au ministère de l'Éducation, et même, dans un moment de désespoir, à la reine d'Angleterre. David était intimement persuadé que les bouteilles couleraient avant d'atteindre la côte du Norfolk, ou bien qu'elles seraient refoulées sur l'île par les vagues. Mais il se trompait. L'une des bouteilles arriva.

Ce fut M. Leloup qui annonça la nouvelle.

Le professeur de français était un petit homme chauve à l'air timide. Du moins était-il petit, chauve et timide au début du mois. Car, à l'approche de la pleine lune, il se métamorphosait. Son corps prenait du volume comme celui de l'incroyable Hulk. Son visage devenait chaque jour plus féroce et d'abondants cheveux lui couvraient peu à peu le crâne.

Puis, le soir de la pleine lune, il disparaissait, pour reparaître le lendemain sous son aspect initial, et le cycle recommençait. Ses vêtements avaient été déchirés et recousus si souvent qu'ils devaient être « reprisés » par des kilomètres de fil. En classe, quand il se mettait en colère (et il avait un tempérament bouillant), il ne criait pas. Il aboyait.

Ce matin-là, le premier février, il était très en colère.

— Il semble que ce collège ait un petit problème, annonça-t-il avec son accent français outrancier. Un fouineur du ministère de l'Éducation a décidé de nous rendre visite. Demain, nous devrons donc nous conduire convenablement, ajouta-t-il en jetant un regard appuyé à Jill et David. Personne ne devra parler avec cet homme sauf s'il vous adresse la parole.

Lorsqu'elle retrouva David, Jill avait bien du mal à contenir son excitation.

— Il a dû recevoir un de nos messages. Si le ministère de l'Éducation découvre la vérité sur Groosham Grange, ils fermeront l'école et ce sera fini. Nous serons libres !

— Je sais, grommela David d'un air sombre. Mais ils ne nous laisseront pas l'approcher. Si nous lui parlons, il lui arrivera probablement quelque chose de terrible. Et à nous aussi.

Jill lui jeta un regard courroucé.

— Ils ont fouillé tes affaires ? Ils ont intercepté nos messages ? demanda-t-elle, subitement affolée.

— Bien sûr que non ! Sinon comment cet inspecteur aurait-il eu le message, selon toi ?

M. Troloin arriva sur l'île le lendemain matin. C'était un homme mince et soigné, en complet gris, avec des lunettes et une mallette en cuir. Il fit la traversée avec le Capitaine Baindesang et fut accueilli par M. Kilgraw. Il leur accorda un sourire bref, officiel, et une poignée de main tout aussi brève et officielle. C'était un homme très officiel. Partout où il allait, il prenait des notes, posait quelques questions et inscrivait dans un carnet les réponses d'une écriture soignée et officielle.

Au grand désarroi de David et de Jill, toute l'école s'était mise en frais pour lui. On aurait dit une visite royale dans un hôpital, quand on récure les sols et que les patients vraiment mal en point sont cachés dans les placards. Tout était destiné à impressionner M. Troloin. Les enseignants avaient revêtu leurs plus beaux habits et les élèves semblaient vivants, intéressés et, surtout, normaux. On lui présenta cérémonieusement deux d'entre eux, qui répondirent à ses questions avec juste ce qu'il fallait d'enthousiasme. Oui, ils étaient heureux à Groosham Grange. Oui, ils travaillaient dur. Non, ils n'avaient jamais pensé à s'enfuir.

M. Troloin fut enchanté. Il ne pouvait en être autrement. À mesure que la journée s'écoula, il se détendit et même la vue de Gregor, portant sur son dos bossu un sac de pommes de terre à la cuisine, ne fit que l'enchanter davantage.

— L'Académie est très sensible à l'emploi des personnes handicapées, l'entendit-on remarquer. Ne serait-il pas un peu... drôle, également ?

— Très très drôle, acquiesça M. Kilgraw.

— Excellent, excellent ! Parfait ! approuva M. Troloin en tournant une page de son carnet.

À la fin de la journée, l'inspecteur était d'une humeur excellente. Bien sûr, il était déçu de ne pouvoir rencontrer les directeurs, censés être partis assister à une conférence, mais tout ce qu'il avait vu le satisfaisait. David et Jill lui jetèrent un regard dépité. Leur unique chance était de se faufiler jusqu'à lui, or c'était impossible. Ils n'avaient pu approcher M. Troloin. On ne lui avait pas fait visiter leurs classes. Et chaque fois qu'il s'était trouvé à leur portée, M. Kilgraw l'avait vivement entraîné ailleurs.

— C'est maintenant ou jamais, chuchota Jill quand M. Kilgraw raccompagna le visiteur à la grande porte.

Ils venaient juste de terminer leurs devoirs et disposaient d'une heure de loisir avant de se coucher. Jill serrait un papier dans sa main. Tous deux avaient rédigé un message la veille au soir. Ce message disait :

LES CHOSES NE SONT PAS TELLES QU'ELLES PARAISSENT À GROOSHAM GRANGE. VOUS COUREZ

UN GRAND DANGER. RETROUVEZ-NOUS SUR LES FALAISES À 19 H 45. NE MONTREZ CE MESSAGE À PERSONNE.

M. Kilgraw et l'inspecteur descendaient le corridor dans leur direction.

— Une journée fort agréable, disait M. Troloin. Cependant je dois vous avouer, monsieur Kilgraw, que nos services sont assez étonnés de n'avoir aucun rapport sur Groosham Grange. Apparemment vous ne possédez même pas de licence...

— Est-ce un problème ? s'enquit M. Kilgraw.

— Je le crains. Il y aura une enquête. Mais je peux vous assurer que mon rapport vous sera tout à fait favorable.

Jill et David démarrèrent en même temps et s'élancèrent dans le corridor, feignant de se dépêcher pour se rendre quelque part. À mi-chemin ils se trouvèrent face aux deux hommes qui s'étaient arrêtés pour les laisser passer. David trébucha et bouscula M. Kilgraw contre le mur. Pendant ce temps, Jill glissa le morceau de papier dans la main de M. Troloin.

— Excusez-moi, monsieur, marmonna David.

La scène avait duré à peine trois secondes. Ils poursuivirent leur chemin comme si rien ne s'était passé. Le directeur adjoint n'avait rien remarqué et M. Troloin avait le message. La question restait maintenant de savoir s'il se rendrait au rendez-vous sur les falaises.

Dès que les deux hommes eurent tourné le coin

du couloir, Jill et David revinrent sur leurs pas, puis ils quittèrent l'école par une sortie de service qui menait au cimetière. Personne ne les vit partir.

— Quelle heure est-il ? demanda David.

— Sept heures et quart.

— Nous avons une demi-heure devant nous.

Ils traversèrent le terrain de sport en courant, longèrent le lac et obliquèrent vers la forêt. La nuit était claire et douce. La lune éclairait le chemin au milieu des arbres, mais aucun d'eux ne leva les yeux, aucun d'eux ne la vit.

C'était la pleine lune.

Ils firent une halte à l'orée de la forêt pour reprendre leur souffle.

— Tu es certaine que c'est une bonne idée ? demanda David.

— Il fallait prendre ce chemin, répondit Jill. Par la route, quelqu'un risquait de nous voir.

— Cette forêt me donne la chair de poule.

— L'île tout entière me donne la chair de poule.

Ils reprirent leur course à travers la forêt. Là, la voûte des feuillages arrêtait la lumière de la lune, et tout était obscur et silencieux. Cette forêt ne ressemblait à aucune de celles que connaissait David. Les arbres paraissaient noués entre eux, des épines et des ronces serpentaient autour des troncs. Des champignons fantastiques surgissaient du sol, et il en suintait un liquide jaune hideux quand on marchait dessus. Rien ne bougeait. Pas un oiseau, pas une chouette, pas un souffle de vent.

Et puis le loup hurla.

Jill saisit le bras de David si brusquement qu'elle faillit déchirer sa chemise.

— Qu'est-ce que c'est ? chuchota-t-elle.

— Sûrement un chien, répondit David sur le même ton.

— Je n'ai jamais entendu un chien crier comme ça.

— Pourtant ça ressemblait à un chien.

— Tu es certain ?

— Bien sûr, j'en suis certain.

Le loup hurla à nouveau.

Ils se mirent à courir.

Ils couraient droit devant eux, plongeant sous les branches basses, sautant par-dessus les broussailles. Bientôt ils furent complètement perdus. La forêt les avait engloutis. Ils erraient dans un incroyable dédale qui semblait continuer de croître pendant qu'ils luttaient pour avancer. Et l'animal, quel qu'il fût, se rapprochait. David ne pouvait pas le voir. Il le regrettait presque. Car il devinait sa présence et c'était pire, bien pire. Son imagination délirait. Il voyait le loup plantant ses griffes dans sa nuque, il l'entendait grogner pendant que ses crocs lui déchiraient la gorge. Le loup...

— On ne peut pas continuer ! hoqueta Jill en faisant halte.

David s'arrêta près d'elle, hors d'haleine, la chemise trempée de sueur. Pourquoi avaient-ils choisi ce chemin ? Il avait trébuché dans un lit de chardons et sa main droite le brûlait comme du feu. Et ce sentier sinueux les avait conduits au bout d'une impasse de buissons et de ronces. David regarda autour de lui. Une branche était tombée à terre, sans doute abattue au cours d'une tempête. En la saisissant à deux mains il parvint à la libérer des ronces et la souleva.

— David !

Il fit volte-face. Maintenant il voyait quelque chose. Mais il faisait trop sombre pour distinguer ce que c'était. Un loup, un homme... ou quelque chose entre les deux ? On ne discernait qu'une forme, une masse de fourrure noire avec deux yeux rouges luisants au milieu. On l'entendait, aussi. Un grognement sourd et grave qui donnait la chair de poule.

Impossible de faire demi-tour. La créature bloquait le passage.

Impossible d'avancer.

La créature bondit.

David leva son bâton et frappa.

Il ferma les yeux à la dernière seconde mais il sentit le choc. Ses bras tremblèrent. La créature poussa un cri. Puis il y eut des craquements de branchages. David rouvrit les yeux. Le monstre était parti.

Jill le rejoignit et posa une main sur son épaule.

— Ce n'était pas un chien, dit-elle.

— Alors qu'est-ce que c'était ?

— Je ne sais pas, murmura-t-elle d'un air songeur. Mais il grognait avec un accent français...

Ils avaient atteint l'extrémité sud de l'île, où le

terrain descendait en pente abrupte pour s'incurver ensuite autour de la pointe. Après avoir franchi les derniers enchevêtrements de la forêt, ils traversèrent la route et coururent jusqu'aux falaises où ils étaient convenus de rencontrer M. Troloin. Jill consulta sa montre. Il leur restait encore dix minutes.

Ils attendirent là, à l'à-pic de la mer. L'endroit était couvert d'un tapis d'herbe tendre. Vingt mètres au-dessous, les vagues luisaient sous le clair de lune et se fracassaient contre les rochers qui pointaient, sculptés par la mer.

— Tu crois qu'il viendra ? demanda David.

— Je crois qu'il est déjà là, répondit Jill.

Quelqu'un traversait le plateau dans leur direction, silhouette noire se découpant sur le ciel pâle. Il se trouvait encore à environ trois cents mètres. En les apercevant, l'inspecteur s'arrêta et jeta un coup d'œil derrière lui. Il avait peur. Cela se voyait à sa façon de marcher.

Il avait parcouru une centaine de mètres, le long de la falaise, lorsque la chose se produisit. D'abord David pensa qu'il avait été piqué par une guêpe, puis il se souvint qu'il n'y avait pas encore de guêpes en mars. L'homme avait sursauté, rejeté la tête en arrière, et porté une main à son cou. Le même phénomène se reproduisit une deuxième fois, mais cette fois ce fut son épaule. Il y porta la main et pivota, comme si on lui avait tiré dessus. Mais il n'y avait pas eu de coup de feu, et il n'y avait personne en vue.

M. Troloin, car c'était bien lui, poussa un cri aigu. Un de ses genoux se déroba sous lui. Il tomba à la renverse, s'arc-bouta et cria encore, les deux mains battant le vide.

— Que lui arrive-t-il ? murmura Jill, les yeux agrandis de stupeur.

David secoua la tête, incapable de dire un mot.

La scène était terrifiante, le calme de la nuit et la lueur de la lune la rendaient plus terrifiante encore. Le corps de M. Troloin était agité de soubresauts comme une marionnette désarticulée. Jill et David restèrent figés, impuissants. D'abord, ils le crurent mort. Soudain M. Troloin tendit la main pour saisir sa mallette, il réussit tant bien que mal à se remettre debout. Pendant un instant il vacilla au bord de la falaise.

— Je ferai mon rapport ! cria-t-il.

Alors un projectile le frappa en plein cœur. Il bascula dans l'obscurité et alla s'écraser en bas, sur les rochers.

David et Jill demeurèrent pétrifiés, muets pendant très, très longtemps. Puis David passa un bras autour des épaules de Jill.

— Nous ferions mieux de rentrer, dit-il.

Pourtant, pour David, la nuit n'était pas terminée.

Ils s'étaient faufilés dans l'école sans se faire

remarquer et avaient chuchoté un « bonne nuit » tremblant dans le couloir. Les autres garçons étaient déjà couchés et dormaient profondément quand David se déshabilla pour se glisser dans son lit. Mais le sommeil ne vint pas. Pendant ce qui lui parut des heures il resta étendu, les yeux ouverts, à s'interroger sur ce qui s'était passé et ce qui se passait ensuite. Puis il entendit un bruit :

— David...

C'était son propre nom, chuchoté dans l'obscurité par quelqu'un qui n'était pas là. Il se retourna et enfouit sa tête dans l'oreiller, sûr d'avoir rêvé.

— David...

La même voix, douce, insistante, qui chuchotait non seulement dans son oreille mais à l'intérieur de sa tête. Il se redressa dans son lit. Rien ne bougeait autour de lui.

— David, rejoins-nous...

Il lui fallait obéir. Comme un somnambule, il sortit de son lit, enfila son peignoir et quitta sans bruit le dortoir. L'école était plongée dans l'obscurité mais en bas, dans le grand hall, un rectangle de lumière filtrait d'une porte entrouverte et s'étirait sur le tapis. C'est là que la voix désirait le conduire. Dans la salle des professeurs. Il hésita, effrayé de ce qu'il risquait d'y découvrir, mais la voix insista. Il devait obéir.

Il descendit l'escalier et, sans frapper, entra dans la pièce. Là, dans la lumière crue, l'état hypnotique dans lequel flottait David se dissipa quand il se retrouva face à tous les enseignants de Groosham Grange.

Mme Windergast, assise dans un fauteuil très proche de la porte, tricotait. Près d'elle se tenait M. Creer, les yeux fermés, respirant à peine. Gregor était accroupi près de la cheminée et ricanait tout seul. Face à la cheminée se dressait M. Leloup, la moitié du visage rouge et enflée. David se souvint de la créature, dans la forêt, qu'il avait repoussée d'un coup de bâton, et il ne fut pas surpris de croiser le regard venimeux du professeur de français. Mais ce fut surtout Mlle Pedicure qui retint son attention. Elle était assise devant une table, au milieu de la pièce. À l'entrée de David, elle se mit à glousser en jetant un objet devant elle. C'était une figurine en cire, mince, avec des lunettes et une petite mallette. Des aiguilles étaient piquées clans son cou, ses bras, ses jambes, son torse, et une autre, la treizième, enfoncée dans le cœur.

— Entre, David.

M. Kilgraw se tenait devant la fenêtre, le dos à la pièce. Il se retourna et marcha jusqu'à la table. Ses yeux passaient alternativement de David à la poupée d'argile.

— Croyais-tu réellement pouvoir nous abuser, David ?

Il n'y avait aucune menace dans sa voix. Mais la menace planait dans la pièce même, elle tournoyait dans l'air comme la fumée d'une cigarette.

— En écrivant ton message, tu as signé l'arrêt de

mort de M. Troloin, reprit M. Kilgraw. C'est regrettable, mais tu ne nous as pas laissé le choix.

Les yeux de M. Kilgraw se posèrent sur David.

— Qu'allons-nous faire de toi, David ? Tu travailles bien en classe. Tu commences, je crois, à te plaire sur l'île. Mais tu continues de nous résister. Tu refuses encore de nous abandonner ton esprit.

David ouvrit la bouche pour parler, mais M. Kilgraw lui imposa le silence d'un geste de la main.

— Le temps nous presse, poursuivit-il. Il ne nous reste que quelques jours. Je serais triste de te perdre, David. Nous le serions tous. C'est pourquoi j'ai décidé de prendre des mesures draconiennes.

M. Kilgraw ramassa la poupée et retira l'aiguille plantée dans le cœur. Une goutte de sang rouge vif tomba sur la table.

— Tu te présenteras à la salle d'études demain à une heure. Il est temps que tu rencontres les directeurs.

11

Les directeurs

— Il est temps que tu rencontres les directeurs.

David les avait entendus parler, il était entré dans leur bureau, mais depuis son arrivée sur l'île, jamais il n'avait rencontré M. Fitch ni M. Teagle.

Cette nuit-là, David ne put trouver le sommeil. Au fond de lui grondait une sourde colère. Ce n'était pas juste. L'idée des bouteilles était de Jill. Alors pourquoi s'en prenait-on à lui ? Et que feraient de lui les directeurs ? À Beton, toute visite chez le principal signifiait invariablement six coups de fouet. Même à l'issue de la fête de fin de trimestre, il battait généralement plusieurs élèves et, un jour mémorable, il avait même cravaché deux ou trois parents. Or, Groosham Grange possédait deux directeurs. Fallait-il s'attendre à une double punition ?

David finit enfin par s'endormir, mais d'un sommeil troublé par des rêves de loups, de bagues noires et de miroirs sans reflet. Il se voyait, en haut des falaises, assister à la chute de M. Troloin. Mais c'était lui qui tenait la figurine en cire, lui qui y piquait les aiguilles. Ensuite il voyait approcher le fauteuil roulant de son père, qui brandissait un paquet de müesli. David pointait le doigt vers lui en marmonnant des mots incompréhensibles et tout explosait, et...

Il se réveilla.

La matinée s'éternisa, pesante comme un sac de briques. Maths, histoire, littérature. David ne vit pas Jill – ce qui, compte tenu de son humeur, était sans doute aussi bien. Il ne saisit pas un mot de ce qu'il entendit. Il ne pensait qu'à sa convocation et son regard restait rivé aux pendules. Les aiguilles des minutes semblaient avancer plus vite qu'elles n'auraient dû. Et les autres élèves savaient. Il les sentait l'observer, chuchoter entre eux. Les professeurs faisaient de leur mieux pour l'ignorer.

Enfin le moment arriva. David réprima l'envie de courir se cacher quelque part. Il savait que cela ne changerait rien. On le retrouverait pour le traîner devant les directeurs, et il ne voulait pas passer pour un lâche. À une heure précise, il se présenta devant la porte du bureau. Il prit une profonde respiration, leva la main, et frappa.

— Tu peux...

— ... entrer.

Dirent les deux voix en même temps. M. Fitch prononça le premier mot, M. Teagle le second. David entra.

Le soleil avait dû se cacher derrière un nuage car la pièce était sombre. La lumière filtrait à peine à travers les vitraux, et le sol dallé de marbre noir rendait l'endroit plus obscur encore. David referma la porte et s'avança lentement vers le bureau. Il y avait deux hommes assis derrière, qui l'attendaient.

Non. UN homme.

Pourtant...

David sentit un frisson d'horreur lui remonter tout le long du dos. Il n'y avait qu'un seul directeur à Groosham Grange, mais deux têtes. Ou, si l'on préfère, il y avait deux têtes à la tête de l'école. M. Fitch était chauve, avec un nez crochu et des yeux de vautour. M. Teagle avait de maigres cheveux gris, une petite barbe et des lunettes. Mais les deux têtes appartenaient à un seul et même corps, vêtu d'un complet sombre et d'une cravate vert vif, assis sur l'unique fauteuil derrière l'unique bureau. Les deux têtes avaient un cou en forme de Y. Juste avant de s'évanouir, David se demanda lequel des deux avait choisi la cravate.

Il reprit connaissance dans le dortoir, allongé sur son lit.

— Tu te sens mieux, mon petit ?

Assise à son chevet, Mme Windergast l'observait anxieusement. Elle avait desserré son col et mouillé son visage d'eau fraîche.

— De toute évidence, tu n'étais pas encore prêt à rencontrer les directeurs, susurra l'intendante. C'est une expérience assez éprouvante. Ces pauvres M. Fitch et M. Teagle étaient si distingués et élégants avant leur petit accident.

Si ça c'était un « petit accident », à quoi ressemblait une catastrophe ?

— Nous nous sommes tous inquiétés pour toi, David, poursuivit Mme Windergast.

Elle avança la main pour lui tamponner le front avec une éponge humide.

David se recula. Il n'y avait peut-être que de l'eau sur cette éponge, mais à Groosham Grange on n'était jamais sûr de rien. Une petite goutte et vous pouviez vous retrouver avec trois yeux et une passion démesurée pour le sang frais.

L'intendante poussa un soupir et laissa retomber son bras.

— L'ennui, dit-elle, c'est que nous t'avons trouvé assez tard, et maintenant le temps presse. Il nous reste seulement deux jours ! Ce serait vraiment dommage de te perdre, vraiment dommage. Tu es un garçon bien, David. J'espère sincèrement...

— Laissez-moi seul ! la coupa David en se détournant.

Il ne supportait plus de la voir. Mme Windergast

avait peut-être l'apparence d'une grand-mère, mais de la grand-mère de Jack l'Éventreur.

— Très bien, mon petit. Je sais que tu es bouleversé.

Mme Windergast se leva et quitta le dortoir d'un pas affairé.

David resta allongé, ravi d'être seul. Il avait besoin de temps pour réfléchir, pour s'éclaircir les idées. Déjà le souvenir des directeurs s'effaçait, comme si sa raison refusait d'en conserver l'image. Il préféra penser aux dernières paroles de Mme Windergast : « Deux jours seulement. » Pourquoi deux jours ?

Tout à coup le déclic se fit. Il aurait dû y penser plus tôt. On était le 2 mars. Sans vacances ni courrier arrivant sur l'île, il était facile d'oublier le calendrier. Mais le 4 mars, dans deux jours, était une date qu'il gardait gravée dans sa mémoire. C'était son anniversaire. Son treizième anniversaire.

Puis il se rappela encore qu'en parlant avec Jeffrey (à l'époque où ils se fréquentaient encore), le gros garçon avait fait allusion à la malchance qui voulait que son anniversaire tombât le jour de Noël. Avec les récents événements, David avait négligé ce détail, mais maintenant il s'en souvenait. Or, c'était à Noël que l'attitude de Jeffrey avait changé. À Noël qu'il avait reçu la bague noire. Pour son treizième anniversaire.

Dans deux jours exactement viendrait le tour de

David. Ou bien il accepterait la bague et tout ce qui allait avec, ou bien...

Il préférait ne pas imaginer l'alternative.

David se leva. Il ne pouvait plus attendre. Le temps était compté. Il savait qu'il devait fuir Groosham Grange. Et il savait quand.

Maintenant il savait comment.

12

Évasion !

Le lendemain, un mardi – veille de l'anniversaire de David –, le Capitaine Baindesang revint sur l'île. Il apportait trois caisses de ravitaillement. Une grande fête était prévue pour le lendemain soir, dont David savait qu'il serait l'hôte d'honneur. Pourtant il n'avait pas la moindre intention d'y assister. Si les choses se passaient comme il l'espérait, l'hôte d'honneur roulerait dans un train en direction de Londres avant que quiconque ait remarqué son absence !

Le soleil déclinait déjà. David et Jill, accroupis derrière une dune, observaient Gregor et le capitaine décharger la dernière caisse. Le bateau avait accosté très tard. Mais il était là. C'était la dernière chance de David. Depuis son entrevue avec les directeurs, c'est à peine s'il avait prononcé un mot. Jill aussi était étrangement silencieuse. Quelque chose la troublait. Pourtant ce fut elle qui finit par rompre le silence.

— Ça ne marchera pas, dit-elle. Je t'ai déjà prévenu, David. Il n'y a aucun endroit où l'on puisse se cacher à bord sans être repérés.

— Nous n'allons pas nous cacher à bord, répondit David.

— Qu'allons-nous faire alors ? Voler le bateau ?

— Exactement.

Jill le dévisagea en se demandant s'il plaisantait. Mais le visage de David était pâle et grave.

— Voler le bateau ? répéta Jill dans un murmure.

— À notre arrivée, le premier jour, le capitaine a laissé les clefs sur le tableau de bord. Ça m'avait frappé, expliqua David en passant sa langue sur ses lèvres sèches. C'est la dernière chose à laquelle ils doivent s'attendre, et c'est notre seule chance.

— Tu sais manœuvrer un bateau ?

— Non. Mais ça ne doit pas être bien différent d'une voiture.

— Une voiture ne risque pas de sombrer.

David jeta un dernier coup d'œil vers les falaises. Gregor et le capitaine avaient disparu et l'on n'entendait plus la Jeep. Il toucha l'épaule de Jill et tous deux s'élancèrent. Les gravillons crépitèrent sous leurs pas. Le bateau ballottait près de la jetée. Le Capitaine Baindesang n'avait pas jeté l'ancre mais amarré le bateau à une borne avec un nœud qui ressemblait à six serpents enroulés dans une machine à laver.

Délaissant ce détail pour le moment, David sauta à bord et se dirigea vers le gouvernail. L'espace d'un horrible moment, il crut s'être trompé et que, cette fois, le capitaine avait emporté les clefs avec lui.

Le bateau tangua sous ses pieds. David aperçut le porte-clefs, un crâne en émeraude, qui se balançait au bout d'une chaînette. La clef était à sa place. David poussa un immense soupir de soulagement. Dans quelques minutes, ils seraient loin.

— Comment ça marche ?

Jill l'avait rejoint. Elle le mettait au défi. David examina les instruments de contrôle. Il y avait un volant (ça c'était facile) et un levier qui devait probablement actionner la marche avant et la marche arrière. Mais pour le reste des boutons, des manettes, des voyants, ils auraient pu servir à expédier le bateau sur la Lune que David n'en aurait rien deviné.

— Alors, comment ça marche ? répéta Jill.

— Ce n'est pas difficile, rétorqua David d'un ton agacé. Il suffit de tourner la clef de contact et...

— Alors pourquoi ne le fais-tu pas ?

— Je vais le faire.

Il le fit.

Rien ne se passa.

David tourna encore, si fort qu'il manqua tordre

la clef. Mais le moteur refusait de tousser, ou même de chuchoter.

— On peut toujours partir à la nage, remarqua Jill.

David pressa un gros bouton rouge situé au-dessus de la clef de contact. Aussitôt le moteur se mit à pétarader bruyamment, et l'eau à bouillonner à l'arrière.

— Je vais défaire l'amarre, dit David.

— Non, l'arrêta Jill en ramassant un couteau qui traînait sur le pont. Occupe-toi des manettes, moi je m'occupe du nœud.

Le bateau était attaché à l'avant et, pour atteindre le cordage, Jill dut à nouveau enjamber le bastingage et sauter sur la jetée. Elle se baissa près de la borne d'amarrage pour s'attaquer au nœud. Le couteau était bien aiguisé, mais la corde épaisse, et elle avait beau scier de toutes ses forces, cela n'avançait guère. David attendait. Sous ses pieds le pont de bois vibrait. Le moteur paraissait plus sonore que d'habitude. L'entendait-on de l'école ? Il leva la tête.

Et frissonna.

Le Capitaine Baindesang revenait. Le vent avait dû porter le bruit du moteur en haut des falaises. Ou bien leur absence avait été remarquée. Quoi qu'il en soit, le résultat était le même. Ils étaient démasqués. Le Capitaine Baindesang et Gregor roulaient vers eux à toute vitesse.

— Jill ! cria David.

— Reste où tu es ! répondit-elle en redoublant d'efforts.

Elle avait déjà entaillé la moitié de la corde mais Gregor et le capitaine approchaient. Déjà ils avaient atteint le bas des falaises. Dans vingt secondes ils seraient à la jetée.

Jill redressa la tête, respira à fond et s'acharna sur le cordage. Elle sciait, hachait, déchiquetait. La corde commençait à craquer, à s'effilocher, mais refusait de céder complètement.

— Vite ! cria David.

Il ne pouvait rien faire. Ses jambes étaient devenues raides comme du bois. La Jeep s'arrêta au bout de la jetée en faisant crisser les pneus. Le Capitaine Baindesang et Gregor bondirent. La peur crispa le visage de Jill, pourtant elle continua de s'acharner sur la corde. La lame mordit un autre fil.

Gregor devançait de peu le capitaine sur la jetée. Jill poussa un cri et abattit violemment le couteau.

La corde céda.

— Jill ! hurla David.

Trop tard. Gregor se jeta sur Jill, lui emprisonnant les bras et les jambes avant qu'elle ait pu faire un geste.

— Pars, David ! Va-t'en ! cria Jill.

La main de David s'abattit sur le levier. Il sentit le bateau trépider sous lui quand l'hélice fit bouillonner l'eau. Le bateau recula vers le large, traînant la corde coupée en travers de la jetée.

C'est alors que le Capitaine Baindesang plongea

en avant. Avec un cri de triomphe il parvint à saisir l'amarre et s'y cramponna.

Le bateau s'était éloigné de quelques mètres. Jill observait la scène d'un regard désespéré, immobilisée par le nain. Gregor ricanait de façon atroce, son œil unique exorbité. Le moteur hurlait. L'hélice battait une eau écumeuse et boueuse. Mais le bateau ne bougeait pas. Le Capitaine Baindesang le retenait, les talons plantés dans les planches de la jetée, comme un cow-boy dressant un cheval sauvage. Une grimace tordait sa bouche. Sa figure était violacée. David n'en croyait pas ses yeux. Le capitaine *devait* lâcher ! Il *ne pouvait pas* résister à la traction du moteur lancé à pleine puissance !

Mais David s'aperçut qu'il n'avait pas poussé à fond le levier d'accélération. Avec un cri de désespoir, il l'abaissa jusqu'au dernier cran.

Le Capitaine Baindesang résista encore ! C'était une lutte impossible, un homme contre un bateau. Le bateau rugissait, il se cabrait presque hors de l'eau. Pourtant l'homme refusait de lâcher prise, ses mains semblaient fixées sur la corde comme des étaux...

— Aaaaaaaaaargh !

Le Capitaine Baindesang hurla. À cet instant le bateau bondit.

David était médusé.

Les mains du capitaine étaient toujours agrippées à la corde... mais elles n'étaient plus attachées à ses bras. La force du moteur les lui avait arrachées. Et quand le bateau recula, elles tombèrent dans la mer avec un petit « floc ».

David, épouvanté, tourna le volant et le bateau pivota. Il poussa la marche avant. L'eau gicla comme un geyser.

Enfin il était parti. Il laissait Groosham Grange, l'île du Crâne, Jill et le désormais sans-mains Capitaine Baindesang, loin derrière lui.

13

Le train fantôme

David traversa le champ en courant. L'herbe lui arrivait jusqu'aux aisselles. Derrière lui se trouvait le bateau, non pas amarré à la jetée, mais encastré dedans. La traversée n'avait pas été de tout repos.

Une nuit avait passé. Avec le brouillard, les courants marins et les instruments de bord inconnus, il avait fallu plus longtemps que prévu pour traverser et le jour tombait déjà lorsque David avait heurté la côte du Norfolk. Il avait dû attendre l'aube du lendemain dans la cabine encombrée. Aux premières lueurs du matin, il s'était aperçu qu'il avait touché terre exactement à l'endroit où on les avait embarqués la première fois.

Le champ montait doucement vers le moulin à

vent aux murs d'un blanc éclatant que David avait remarqué à l'aller. De plus près, le bâtiment apparaissait désert et délabré, battu par le vent et la pluie. Les ailes n'étaient plus que des armatures en bois tordu, comme des squelettes d'oiseaux. Le moulin était depuis longtemps désaffecté.

Un peu plus loin, David découvrit une route et il s'y posta, titubant, gelé et épuisé. Une voiture le dépassa à vive allure. Il cligna les yeux. Il avait presque oublié à quoi ressemblait une voiture ordinaire. David regarda anxieusement derrière lui. Personne n'avait pu le suivre. Mais avec Groosham Grange, on n'était sûr de rien.

Il devait rejoindre au plus vite une ville, la civilisation. Il n'avait pas d'argent. Cela impliquait donc de faire de l'auto-stop. David leva le bras, le pouce en l'air. Quelqu'un allait sûrement s'arrêter. Il fallait que quelqu'un s'arrête.

Soixante-dix-sept voitures passèrent. David les compta. Non seulement les conducteurs ne s'arrêtaient pas mais ils accéléraient, apparemment pressés de l'éviter. Qu'y avait-il en lui qui clochait ? Il n'était qu'un garçon de treize ans comme les autres, épuisé et perdu, qui faisait de l'auto-stop. Treize ans ! « Bon anniversaire », murmura-t-il. La mine maussade, il fit une nouvelle tentative.

La soixante-dix-neuvième voiture s'arrêta. C'était une Ford Cortina rouge conduite par un gros homme jovial qui s'appelait Horace Tobago. M. Tobago était représentant de commerce. Il vendait des farces et attrapes et du matériel de magie, et n'avait pas besoin de le préciser. Le bonbon qu'il lui offrit était en savon, et la boîte à gants contenait deux tourterelles, un lapin et un chapelet de saucisses en caoutchouc.

— Alors, d'où viens-tu ? questionna Horace Tobago en levant le menton – ce qui eut pour effet de faire tournoyer son nœud papillon.

— De l'école, marmonna David.

— Tu as fait une fugue ? dit Horace en levant les sourcils.

— Oui, admit David. Je dois aller au commissariat de police.

— Pourquoi ?

— Je suis en danger, monsieur Tobago. C'est une école de fous. Elle se trouve sur une île. Ce sont tous des vampires, des sorcières et des fantômes. Et ils veulent que je devienne l'un d'entre eux. Il faut les arrêter !

— Ha ha ha ha ha !

Horace Tobago riait ou plutôt hennissait. Sa figure devint écarlate et la fleur de sa boutonnière projeta un jet d'eau sur le pare-brise.

— Tu es un petit plaisantin aussi, n'est-ce pas, David ? s'exclama-t-il enfin. Un drôle de farceur ! Je pourrais peut-être te vendre des boules puantes !

— C'est la vérité ! protesta David.

— Bien sûr ! Bien sûr ! Et moi je m'appelle le comte Dracula ! s'esclaffa le représentant en farces et attrapes. Des vampires et des sorcières. Sacrée blague, mon ami ! Sacrée blague !

David descendit de voiture à la première ville. Hunstanton. M. Tobago avait tellement ri pendant le trajet que des larmes roulaient sur ses joues et qu'une fausse verrue était tombée de son menton. David attendit que la voiture eût disparu pour se mettre en route.

Hunstanton était une station balnéaire sans doute très colorée et très animée l'été, mais sinistre hors saison. Un fatras de toits et de tours en ardoises grises, de boutiques et de pavillons accrochés sur le flanc d'une colline qui descendait vers une mer froide et houleuse. Le long du quai s'agglutinaient de nombreux bateaux de pêche, à moitié ensevelis sous leurs propres filets et qui semblaient pris au piège comme les poissons qu'ils étaient censés pêcher. Au loin, des bâches grises et des baraques en bois entouraient ce qui devait être, l'été, une fête foraine. Mais, par cette journée sans soleil de printemps, rien ne pouvait moins ressembler à une fête.

David devait trouver le commissariat.

Une idée fort désagréable lui vint soudain à l'esprit. Horace Tobago n'avait pas cru un seul mot de ce qu'il lui avait dit. Pourquoi les policiers le croiraient-ils ? S'il entrait dans le commissariat en racontant des histoires de sorcières et de magie noire, ils le prendraient sûrement pour un sacré menteur ou pour un fou échappé de l'asile. Pire, ils risquaient de l'arrêter et d'appeler l'école.

On sait bien que les adultes ne croient jamais les adolescents de treize ans.

David regarda autour de lui. Il était juste devant la bibliothèque municipale. Saisi d'une brusque impulsion, il y entra. Au moins cela, il pouvait le faire : en apprendre davantage. Plus il en saurait, plus il pourrait argumenter. Et les livres étaient un bon point de départ.

Malheureusement le rayon « Sorcellerie » de la bibliothèque de Hunstanton n'était pas très fourni. En fait, il n'y avait que trois ouvrages dont deux s'étaient malencontreusement égarés du rayonnage voisin consacré à l'artisanat. Mais le troisième, et donc unique, semblait prometteur. Il s'intitulait *Magie noire en Grande-Bretagne*, par une certaine Winny H. Zoothroat. David feuilleta le livre, puis s'installa à une table pour l'examiner plus en détail.

SOCIÉTÉ DE SORCIERS :
Rassemblement de sorciers, généralement au nombre de treize ou un multiple de treize. La raison en est que le chiffre douze est souvent considéré comme un nombre parfait. Le treize signifie donc la mort. Treize est aussi l'âge auquel un novice est introduit dans la société.

INITIATION :
Un nouveau sorcier, ou une nouvelle sorcière, est sou-

vent tenu(e) de signer son nom dans un registre noir qui sera conservé par le maître. La coutume veut que le novice signe son nom avec son propre sang. Une fois son nom signé, le ou la novice reçoit un nouveau nom. C'est le nom du pouvoir, et il doit être emprunté à un ancien comme marque de respect.

SORCIERS :
Il existe en Grande-Bretagne de célèbres sorciers, et notamment Roger Bacon, connu pour avoir marché entre les deux clochers d'Oxford. Bessie Dunlop, brûlée vive dans le comté d'Ayrshire. William Rufus grand maître sorcier du XIIIe siècle.

SABBAT :
Le sabbat de sorciers se tient à minuit. Auparavant, les membres s'enduisent la peau d'un baume à base de ciguë et d'aconit. Le baume provoque un état de transe et, dit-on, aide à libérer les pouvoirs magiques.

MAGIE :
Le tour de magie le plus connu s'appelle « loi de la ressemblance ». Une figurine de cire symbolise la personne victime de la colère de la sorcière. Tout ce que subit la figurine, la victime humaine le ressentira.
L'outil le plus puissant du sorcier est le démon familier, une créature qui agit comme une sorte de serviteur diabolique. Le chat est le plus courant des démons familiers, mais d'autres animaux ont été utilisés, tels que le cochon ou le corbeau.

David perdit toute notion du temps en lisant ce livre. À la fin de l'après-midi, il avait appris tout ce qu'il désirait savoir sur Groosham Grange, et aussi beaucoup de choses qu'il ne souhaitait pas. L'ouvrage lui réserva une dernière surprise. Au moment où il s'apprêtait à le remettre sur l'étagère, le livre tomba et s'ouvrit à ses pieds. Ses yeux s'arrondirent de stupéfaction lorsqu'il aperçut ces mots :

GROOSHAM GRANGE : voir note de l'éditeur.

Curieux, David se reporta à la dernière page de l'ouvrage où il lut :

Quand elle écrivait ce livre, Winny H. Zoothroat partit dans le comté de Norfolk pour faire des recherches sur Groosham Grange, la légendaire « Académie de sorcellerie » où les jeunes novices apprenaient l'art de la magie noire.

Malheureusement Miss Zoothroat ne revint pas de son voyage. Sa machine à écrire fut retrouvée rejetée par la mer sur le rivage plusieurs mois après. Par respect pour sa mémoire, les éditeurs ont décidé de laisser ce chapitre blanc.

Une Académie de sorcellerie ! Les mots résonnaient encore dans la tête de David lorsqu'il quitta la bibliothèque. Mais quelle autre vocation pouvait avoir Groosham Grange ? Latin parlé couramment, fabrication de figurines en cire, préparation de mets étranges, études religieuses vraiment très peu catholiques... tout coïncidait. Mais David n'avait jamais voulu devenir sorcier. Alors pourquoi l'avait-on choisi ?

Il descendit la rue principale. Les magasins s'apprêtaient à fermer leurs portes. Un mouvement furtif attira son attention. D'abord il crut avoir rêvé, puis il aperçut à nouveau une silhouette difforme se glissant derrière une voiture en stationnement.

Gregor.

D'une façon ou d'une autre le nain avait réussi à gagner Hunstanton et David ne douta pas un instant qu'il fût à sa poursuite. Sans réfléchir, il s'élança et dévala la colline en direction de la mer. Si on le retrouvait, David savait qu'on le tuerait plutôt que de le laisser raconter son histoire. Ils avaient déjà assassiné au moins deux personnes. Combien d'autres avaient échoué dans le cimetière de l'île du Crâne plus tôt que prévu ?

David attendit d'avoir atteint le front de mer pour reprendre son souffle et son calme. Une coïncidence. Ce ne pouvait qu'être une coïncidence. Gregor devait sûrement faire des courses ou rendre visite à un ami. Personne à l'école ne pouvait savoir qu'il se trouvait précisément à Hunstanton.

À quelques mètres de là, Gregor gloussa de rire. Assis sur un muret de brique, le bossu l'observait de son œil de lynx. Il tira un objet de sa ceinture.

C'était un couteau, avec une lame d'au moins quinze centimètres de long, qui jetait un éclat menaçant. Sans cesser de ricaner, le bossu lécha la lame. David tourna les talons et reprit sa course.

Il ne savait pas où aller. Le monde entier semblait vaciller et trembler chaque fois que son pied effleurait le ciment froid. Tout ce qu'il entendait, c'était son souffle haletant. Il jeta un coup d'œil en arrière. Le nain avait disparu. Hunstanton était loin maintenant. Il avait atteint le bout de la promenade du front de mer. Des tentes affaissées et des cabanes en bois gauchi l'entouraient. La fête foraine !

— Un petit tour, mon garçon ?

Le vieil homme portait un manteau élimé. Une cigarette pendait au coin de sa bouche. Il se tenait près du train fantôme. Trois voitures, une bleue, une verte, une jaune, étaient arrêtées dans la courbe des rails.

— Un tour ?

David regarda vers le front de mer. Aucun signe de Gregor.

— Un tour d'essai, insista le vieil homme secoué par une quinte de toux, en écrasant sa cigarette. Tu as de la chance d'être arrivé au bon moment. Je t'offre un tour gratuit.

— Non, merci...

Au même moment, David aperçut Gregor. Celui-ci ne l'avait pas encore repéré, mais il le cherchait, le couteau toujours à la main, à hauteur de hanche, la lame relevée.

David sauta dans la première voiture. Il lui fallait se cacher. Quelques minutes dans le train fantôme pouvaient suffire. En tout cas, Gregor ne le suivrait pas là.

— Accroche-toi ! lança le vieil homme en pressant un bouton.

La voiture fut propulsée en avant. Une seconde plus tard elle heurta les portes battantes qui s'ouvrirent, puis se refermèrent derrière elle. L'obscurité engloutit David. Il eut l'impression de suffoquer. Puis une lumière s'alluma derrière un crâne en plastique et il put à nouveau respirer. Si le crâne était supposé l'effrayer, il provoqua l'effet inverse en lui rappelant qu'il ne s'agissait que d'un divertissement, une attraction bon marché de fête foraine, avec des masques en plastique et des ampoules de couleur. Un haut-parleur grésilla en diffusant un « Houuuuuu » enregistré qui arracha même un sourire à David. Une lumière verte clignota. Une araignée en caoutchouc se mit à tressauter au bout de fils trop visibles. David sourit de nouveau.

Puis la voiture plongea dans un abîme.

La descente dans les profondeurs dura si longtemps que le vent ébouriffa les cheveux de David et qu'il fut plaqué sur son siège. Au dernier moment, alors qu'il était certain de s'écraser au fond, la voiture ralentit comme si elle s'enfonçait dans un coussin d'air.

— Drôle de petit tour, murmura-t-il pour lui-même.

Et ce fut un soulagement pour David d'entendre sa propre voix.

Une autre lumière s'alluma, un léger crépitement se fit entendre. Mais s'agit-il réellement des haut-parleurs ? Le son semblait trop réel. Puis David perçut une odeur, une odeur moite de marais. Avant la chute vertigineuse, il sentait les rails sous la voiture, maintenant celle-ci semblait flotter.

Une silhouette surgit des ténèbres, un mannequin dans un manteau noir. La silhouette leva la tête et David comprit : ce n'était pas un mannequin mais un homme, et un homme qu'il connaissait bien.

— Croyais-tu vraiment nous échapper ? demanda M. Kilgraw.

Le train fantôme glissa encore, silencieusement. MmeWindergast surgit de l'ombre.

— Je ne t'aurais jamais cru si stupide, mon cher enfant, dit-elle de sa voix chantante.

David frémit. La voiture bondit, poussée par une force invisible, et David se retrouva face à M. Fitch et M. Teagle, éclairés par une douce lumière bleue.

— Une grande déception, monsieur Fitch.

— Un désastre, monsieur Teagle.

Mlle Pedicure pointa son doigt sur David en secouant la tête. M. Leloup, mi-homme mi-loup, poussa un hurlement. M. Creer, pâle et presque transparent, ouvrit la bouche pour parler mais un flot d'eau de mer en jaillit.

David était condamné à rester assis là, respirant à peine, agrippé au rebord de la voiture du train fantôme qui poursuivait sa course tandis que tous les professeurs de Groosham Grange défilaient devant lui. Une fumée noire commença peu à peu à s'enrouler autour de ses chevilles, et il distingua au loin une lueur rouge, de plus en plus lumineuse à mesure qu'il s'en approchait. Et tout à coup un choc se produisit à l'arrière de la voiture. David aperçut deux mains agrippées au rebord de fer, les doigts très serrés. Mais les mains n'étaient rattachées à aucun bras.

David hurla.

Le train fantôme franchit un second barrage de portes. La lumière rouge explosa devant ses yeux et devint un immense soleil couchant. Une brise fraîche lui caressa les cheveux. Au loin, tout en bas, les vagues se brisaient contre les rochers.

Le train fantôme l'avait reconduit sur l'île du Crâne. La petite voiture jaune était perchée tout en haut de la falaise, sur l'herbe verte. Il n'y avait ni rails, ni mannequins, ni fête foraine.

C'était le soir de son treizième anniversaire et la nuit se refermait sur lui.

14

À travers le miroir

L'école était déserte.

David était allé se coucher, trop déprimé pour faire autre chose. Son évasion n'avait mené à rien. Et Jill restait introuvable. Il avait tout simplement vécu le pire anniversaire de sa vie, et si les choses se passaient comme il s'y attendait, ce serait probablement le dernier.

Le sommeil ne venait pas. Où étaient les autres ? Il était arrivé à six heures. Quatre heures plus tard, allongé dans l'obscurité, il n'avait toujours pas vu ni entendu âme qui vive. Il faut dire qu'il n'y avait plus aucune âme à Groosham Grange. Elles avaient été vendues depuis bien longtemps, et David le savait trop bien.

Soudain, un bruit de pieds nus marchant sur le plancher du dortoir l'alerta. Il se dressa dans son lit. C'était Jill. Il se détendit, soulagé de la revoir.

— Jill...

— Bonsoir, David, dit-elle d'un air aussi accablé que le sien. Alors tu n'as pas réussi ?

— Si. Mais... c'est une longue histoire, répondit David en quittant son lit. (Il était encore tout habillé.) Où sont les autres ?

Jill haussa les épaules. Il était difficile de distinguer son visage, dans la pénombre.

— Que t'est-il arrivé après mon départ en bateau ?

— Nous en parlerons plus tard. Pour l'instant, je voudrais te montrer quelque chose. Viens !

David quitta le dortoir derrière elle, légèrement dérouté par son attitude. Jill semblait en bonne santé et il supposa que personne ne l'avait punie pour son rôle dans l'évasion. Pourtant elle paraissait froide, distante. Lui reprochait-elle de l'avoir abandonnée ? Après tout, c'était compréhensible. David lui-même se le reprochait.

— J'ai découvert toutes sortes de choses sur Groosham Grange, David, reprit-elle alors qu'ils descendaient l'escalier. Surtout en ce qui concerne les enseignants.

— Jill..., l'interrompit David en posant la main sur son bras pour l'arrêter. Je suis désolé d'avoir dû partir sans toi.

— Ce n'est rien, David. Tout est pour le mieux, dit-elle avec un faible sourire.

Son visage était pâle dans la lumière lugubre du hall. Jill s'écarta de David et pressa le pas en direction de la bibliothèque.

— Les professeurs sont tous... enfin, ils ne sont pas tout à fait humains, poursuivit Jill. M. Kilgraw est un vampire, Mme Windergast une sorcière. M. Fitch et M. Teagle font de la magie noire. Ils étaient deux personnes distinctes jusqu'à ce que l'une de leurs expérimentations tourne mal. M. Creer est un fantôme et Mlle Pedicure est éternelle.

— Mais pourquoi nous veulent-ils avec eux ? demanda David.

— Pour nous enseigner, répondit Jill en arrivant devant la porte de la bibliothèque, dont elle tourna la poignée pour entrer. Tu es le septième fils du septième fils. Et moi la septième fille de la septième fille.

— Et alors ?

— Cela signifie que nous sommes des sorciers. Nous sommes nés ainsi. Ce n'est pas notre faute. Mais comme tous les autres élèves ici, nous avons des pouvoirs. Les enseignants de Groosham Grange veulent tout simplement nous apprendre à les utiliser.

— Des pouvoirs ? sursauta David en saisissant la main de Jill pour la forcer à le regarder en face. (Elle ne résista pas, mais son regard sembla le traverser.) Je n'ai aucun pouvoir, pas plus que toi !

— Si, David, nous en avons. Seulement nous ignorons comment nous en servir.

Jill se tenait devant le miroir. Elle leva la main et tapota la glace, puis se tourna vers David.

— Use de ton pouvoir, lui dit-elle d'un air de défi. Passe au travers du miroir.

— À travers le miroir ?

David regarda le miroir, puis Jill, et à nouveau le miroir. Il se rappela son rêve, comment il avait traversé ce même miroir et marché jusqu'à une grotte souterraine. Mais ce n'était qu'un rêve. Maintenant il était éveillé. La glace était solide. Seule Jill, apparemment, avait craqué.

— Tu peux le faire, insista Jill. Tu en as le pouvoir. Il te suffit de l'utiliser !

— Mais...

— Essaie !

Furieux, désemparé, un peu effrayé, David écarta Jill et mit son épaule contre la glace. Il allait briser le miroir, ça lui apprendrait. Ensuite il découvrirait pourquoi elle se comportait ainsi.

Son épaule s'enfonça dans la glace.

Surpris, David perdit l'équilibre et faillit tomber. Sa tête et ses mains touchèrent le miroir, ou plutôt touchèrent le vide, comme si l'obstacle n'existait pas. Une seconde plus tôt il était dans la bibliothèque, et maintenant il respirait l'air froid d'un tunnel et frôlait la paroi du rocher, humide et luisante.

David jeta un regard en arrière. Le tunnel semblait barré par une plaque d'acier. L'autre face du miroir. Puis Jill apparut, elle sembla franchir un voile d'eau, et elle se planta devant lui, les mains sur les hanches.

— Tu vois bien ! Je t'avais dit que tu pouvais le faire.

— Mais comment le savais-tu ?

— Je sais bien d'autres choses, dit Jill.

Elle passa devant lui et s'engagea dans le tunnel. David la suivit en se demandant si, finalement, il était réellement éveillé. Pourtant, tout semblait réel. L'air froid le faisait frissonner, il sentait un goût d'eau salée sur ses lèvres, le poids oppressant des rochers au-dessus de lui. Le passage descendait très profondément et ses oreilles se bouchèrent sous l'effet de la pression.

— Où ce tunnel mène-t-il ? questionna David.

— Tu verras.

Quelques centaines de mètres plus loin, apparut une étrange lueur argentée. Aucune ampoule électrique ni aucune torche n'éclairait le tunnel et David prit soudain conscience que cette lueur argentée emplissait le passage depuis le début. C'était une sorte de brume au-dessus d'un lac souterrain. Jill s'arrêta. David pressa le pas pour la rejoindre. Le tunnel déboucha... dans une immense caverne.

La caverne de son rêve. Des stalactites et des stalagmites pointaient, parfaitement sculptées. Une cascade pétrifiée, d'un blanc brillant, couvrait toute une paroi. Et au beau milieu de tout cela se dressait l'autel du sacrifice, un bloc de granit massif, ultime et terrible point final. M. Kilgraw se tenait à côté. Il les attendait. Jill avait conduit David jusqu'à eux.

David fit volte-face et chercha sur elle ce qu'il savait y trouver, et qu'il aurait dû voir plus tôt : sur son troisième doigt, le majeur, une bague noire.

Il secoua la tête, la gorge serrée.

— Jill ! Depuis quand as-tu treize ans ?

— Hier, répondit Jill avec un regard de reproche. Tu ne m'as pas souhaité mon anniversaire. Mais ça ne fait rien, David. Tu vois, nous avions tort. Nous les combattions. Pourtant, depuis le début, ils étaient de notre côté.

Le désespoir engloutit David. Toute combativité venait de s'éteindre en lui. Il avait échoué. Il avait raté son évasion et perdu Jill. Elle était une des leurs, désormais. Il était seul.

Et maintenant c'était son tour.

Ils étaient venus le chercher.

D'un seul mouvement, tous les élèves de Groosham Grange surgirent de l'ombre pour former un cercle autour de lui. Les professeurs apparurent derrière M. Kilgraw. David avança lentement vers le bloc de granit. Il ne voulait pas avancer, mais ses jambes n'obéissaient plus à ses ordres.

Il s'arrêta devant M. Kilgraw. Tous les regards étaient fixés sur lui.

— Tu nous as résisté longtemps et durement, David, dit M. Kilgraw. Je te félicite pour ton courage. Mais l'heure de la lutte est finie. C'est aujourd'hui ton treizième anniversaire. Minuit approche. Tu dois faire ton choix... Écoute-moi, David. Tu es le septième fils du septième fils. Voilà pourquoi tu as été conduit à Groosham Grange. Tu détiens des pouvoirs. Nous désirons t'apprendre à les utiliser.

— Je ne suis pas un sorcier ! s'écria David. Je ne le serai jamais !

L'écho de ses paroles résonna dans la caverne.

— Pourquoi pas ? rétorqua M. Kilgraw sans élever la voix, mais avec une intensité et une passion que David n'avait encore jamais entendues. Pourquoi pas, David ? Pourquoi refuses-tu de considérer les choses de notre façon ? Tu crois que les vampires, les fantômes, les sorciers et les monstres à deux têtes sont mauvais. Pourquoi ? Sais-tu ce que c'est, David ? Des préjugés.

M. Fitch et M. Teagle hochèrent la tête d'un geste approbateur. Mme Windergast murmura : « Très juste, très juste. »

— Il n'y a rien de mauvais en nous. T'avons-nous fait du mal ? Il est vrai que nous avons dû supprimer M. Troloin, mais c'est toi qui l'avais attiré ici. Nous devions nous protéger. L'ennui, David, c'est que tu as vu trop de films d'horreur. Nous autres, vampires, n'avons jamais le beau rôle ! Sans parler des loups-garous ! Parce que mon bon ami M. Leloup hurle les soirs de pleine lune, tout le monde se croit le droit de le chasser et de tirer sur lui des balles en argent. Et M. Creer ! D'accord, il est mort. Et alors ? C'est quand même un excellent professeur, bien plus vivant même que certains professeurs vivants que je ne citerai pas.

— Mais je ne suis pas comme vous, insista David. Et je ne veux pas l'être.

— Tu as des pouvoirs, répliqua M. Kilgraw. C'est tout ce qui compte. La seule question est de savoir, David, si tu souhaites réellement rester avec tes parents pour suivre les traces de ton sinistre père dans la banque, ou bien vivre libre. Rejoins-nous et tu seras riche. Nous t'enseignerons comment faire de l'or avec du plomb, comment anéantir tes ennemis d'un simple claquement de doigts. Nous pouvons t'apprendre à lire l'avenir et à utiliser tes connaissances. Réfléchis, David ! Tu peux obtenir tout ce que tu désires... et davantage. Regarde Mlle Pedicure ! Elle est éternelle. Tu peux l'être aussi... Bon, d'accord, je l'admets, nous sommes mauvais. Mes amis, M. Fitch et M. Teagle, le sont plus que nous tous. Ils ont même reçu des récompenses pour cela. Mais quel mal y a-t-il à être mauvais ? Nous n'avons jamais lâché de bombe atomique sur personne. Nous n'avons jamais pollué l'environnement, fait des expériences sur les animaux, ni réduit les allocations familiales. Nos mauvaises actions sont plutôt agréables. Pourquoi, à ton avis, existe-t-il tant de films et de livres à notre sujet ? Parce que les gens nous aiment bien. Nous sommes des vilains plutôt sympathiques.

Pendant le discours de M. Kilgraw, les soixante-quatre élèves de Groosham Grange, sorciers novices et jeunes adeptes, avaient resserré le cercle. Maintenant ils se rapprochaient de David, sans le quitter des yeux. Jill se tenait près de Jeffrey, William Rufus de l'autre côté. Soixante-quatre bagues noires luisaient dans la lumière souterraine.

M. Kilgraw tenait la soixante-cinquième dans une main.

— J'ai apprécié la lutte, David. Je ne voulais pas que la tâche fût trop facile. J'admire le courage. Mais maintenant il est minuit.

M. Kilgraw tendit l'autre main. Gregor avança et lui remit son couteau.

— C'est pour toi l'heure du choix, David, poursuivit M. Kilgraw. La bague ou le couteau. Tu peux nous repousser une dernière fois. Dans ce cas, je serai malheureusement obligé de te plonger ce couteau dans le cœur. Et je peux t'assurer que cela sera plus douloureux pour moi que pour toi. Ensuite, nous t'enterrerons décemment dans le cimetière de l'école. L'autre solution est de nous accepter, de prendre un nouveau nom et de commencer ton éducation avec sérieux. Mais tu ne pourras pas changer d'avis, David. Si tu nous rejoins, c'est pour toujours.

Autour de David, les visages se rapprochèrent. Il y avait la bague. Il y avait le couteau.

— Alors, David, reprit M. Kilgraw. Que choisis-tu ?

15

Le septième fils

— Quand j'étais jeune, dit M. Eliot, je devais travailler pendant mes vacances. Mon père me faisait trimer si dur que je passais trois semaines à l'hôpital avant de reprendre l'école.

— Mais David ne dispose que d'un seul jour de congé, objecta Mme Eliot en se versant un verre de gin.

— J'en ai conscience, ma chère, dit M. Eliot en lui arrachant le verre des mains pour le boire. Et si tu veux mon avis, un jour c'est encore trop. Si j'avais été renvoyé du collège Beton, mon père ne m'aurait plus jamais adressé la parole. En réalité, il m'aurait coupé les oreilles pour que je ne puisse l'entendre si par accident un mot lui échappait.

Assis dans le salon de leur maison de la villa Wiernotta, Edward Eliot fumait un cigare et Eileen Eliot caressait Gin, son chat siamois favori. Ils venaient juste de déjeuner : salade au jambon dans le plus pur style végétarien, c'est-à-dire sans jambon.

— Nous pourrions peut-être l'emmener au cinéma ? suggéra craintivement Mme Eliot.

— Un film ?

— Ou bien au concert...

— Es-tu folle ? aboya M. Eliot.

Furieux, il se pencha pour écraser son cigare sur le chat. Le siamois miaula et sauta des genoux de Mme Eliot, en plantant profondément au passage ses griffes dans la jambe de sa maîtresse.

— Pourquoi l'emmener quelque part ? reprit M. Eliot.

— Tu as sans doute raison, mon chéri, gémit Mme Eliot en versant le restant du gin sur sa jambe pour empêcher le sang de couler.

C'est alors que la porte s'ouvrit devant David.

Il avait changé depuis son départ pour Groosham Grange. Il était plus mince, plus grand, plus mûr. Il avait toujours été calme mais maintenant son silence avait quelque chose d'étrange. Et le regard qu'il posait sur ses parents était sans indulgence.

M. Eliot consulta sa montre.

— Eh bien, David, il te reste exactement sept heures et vingt-deux minutes avant la fin de tes vacances. Pourquoi n'irais-tu pas tondre la pelouse ?

— Mais c'est une pelouse artificielle ! protesta Mme Eliot.

— Alors qu'il la lave !

— Bien sûr, mon chéri.

David poussa un soupir. Sept heures et vingt-deux minutes. Il ne s'était pas rendu compte qu'il lui restait tant de temps. Il leva la main droite.

— Quelle est cette bague que tu portes ? demanda son père.

David marmonna quelques mots entre ses dents.

Il n'y eut ni déclic, ni éclair de flash, mais ce fut comme si ses parents venaient d'être photographiés et que, en même temps, ils fussent devenus ces photographies. Mme Eliot était figée près du fauteuil. M. Eliot s'apprêtait à parler, la bouche ouverte, la langue contre les dents.

C'était un truc facile. Mais ils allaient rester dans cette position pendant trois semaines.

David caressa rêveusement sa bague. Il avait parfaitement prononcé la formule. Mme Windergast aurait certainement jugé qu'un délai de trois semaines était excessif alors que quelques heures auraient suffi, mais c'était un perfectionniste et les sorts jetés par David étaient souvent un peu exagérés. Peut-être un excès d'enthousiasme de sa part.

Il monta dans sa chambre et s'allongea sur son lit. Un *milk-shake* au chocolat se matérialisa dans le vide et flotta tranquillement jusqu'à lui. David attendait avec impatience le prochain trimestre à Groosham Grange. Jill et lui passeraient leur examen de première année pendant l'été : télépathie, contrôle du climat, modelage de figurines en cire et (la plus délicate des quatre matières) épreuve de sacrifice.

Et ensuite ? David avala une gorgée de *milkshake* et sourit. Il l'avait réussi à la perfection : bien épais, avec beaucoup de chocolat. Il rougissait encore de son premier essai. En classe de cuisine, il avait composé un *milk-shake* très bien dosé : parfum à la banane et deux boules de crème glacée, mais il avait oublié le verre ! David s'était familiarisé depuis peu avec ses pouvoirs et commençait seulement à y prendre plaisir.

Mais à quelle fin les utiliserait-il ? Magie noire ou magie blanche ? Le Bien ou le Mal ?

David préférait remettre sa décision à plus tard. D'abord il devait passer ses examens. Et il était certain de réussir. N'était-il pas le septième fils du septième fils ? Jamais il ne s'était senti mieux de sa vie.

MAUDIT GRAAL

1

Le Graal Maudit

Huit hommes étaient réunis dans une salle de Westminster, mais seulement deux d'entre eux portaient la robe : l'un était archevêque, le second évêque, et tous deux avaient revêtu leurs plus belles soutanes pourpres, ornées d'or et d'argent. À leurs côtés, autour de la longue table cirée, étaient assis un membre du parlement, un général de brigade, un docteur, un fonctionnaire, le chef de la police et le ministre de l'Éducation. Un épais nuage gris flottait dans la pièce, pourtant réservée aux « non-fumeurs ». D'ailleurs le bâtiment tout entier était « non-fumeurs ». Mais l'archevêque avait apporté son brûleur d'encens, l'avait posé derrière sa chaise, et c'était de là que s'élevait une fumée opaque.

— Alors, qu'allons-nous faire au sujet de Groosham Grange ?

Celui qui venait de poser cette question était le ministre de l'Éducation en personne, un homme rondouillard, presque chauve, au visage rougeaud, affublé de lunettes. Il s'appelait Sir Percy Warton. Chose bizarre pour un ministre de l'Éducation, il n'en avait aucune. Il avait raté dix-sept fois l'examen d'entrée en sixième (autrement dit, il ne l'avait réussi qu'à l'âge de vingt-neuf ans), et il n'avait ni le brevet ni le bac : en fait, son dernier directeur d'école avait préféré réduire l'établissement en cendres plutôt que de le conserver comme élève...

Sir Percy Warton, qui avait pris l'initiative de cette réunion, présidait la table face à l'archevêque. Il s'était octroyé le plus grand fauteuil de la pièce, et l'unique coussin disponible.

— Cette école est une abomination ! s'exclama l'archevêque en secouant la tête. Une véritable abomination...

— Dans ce cas, bombardons-la ! tonna le général de brigade en bondissant de son siège. Envoyons les chars !

— Les chars ? marmonna l'archevêque.

— Sans charrier ! répliqua le général.

— C'est quoi Groosham Grange, exactement ? questionna le docteur.

En vérité, le docteur était une femme, bien que personne ne s'en fût aperçu. Grande et mince, avec des petits yeux et des lèvres pincées, elle portait une veste et un pantalon noirs, que ne venaient égayer ni maquillage ni bijoux. Sur un revers de sa veste, elle arborait un badge : ÉPARGNONS LES ÉLÉPHANTS. Sur son sac, un autre badge : ÉPARGNONS LES BALEINES. Et sur sa voiture, parquée dehors, un autocollant : ÉPARGNONS CHEZ L'ÉCUREUIL. Elle s'appelait Maureen Tove.

— Je n'en ai jamais entendu parler, poursuivit-elle. Expliquez-moi ce qu'est Groosham Grange.

Un silence soudain se fit dans la pièce. Sans doute un nuage voilait-il le soleil car la lumière battit en retraite sur le plancher nu et disparut par la fenêtre. Dehors, la Tamise murmurait doucement, serpentant vers d'autres rives, comme si elle cherchait à s'échapper de Londres. Explosant en une masse de plumes grises et blanches, un groupe de pigeons s'envola derrière les toits.

L'évêque se leva. C'était un homme d'une cinquantaine d'années à l'air féroce, dont le visage, encadré de longs cheveux argentés, semblait sculpté dans le bois. Une grande partie de son visage l'était effectivement, depuis qu'il avait commis l'erreur de se laisser charcuter par le dentiste d'une tribu africaine, à l'époque où il était missionnaire au Congo. Comme tous les évêques, il portait le nom de la ville où il officiait : Bletchley, en l'occurrence.

— Groosham Grange est une monstruosité, commença-t-il d'une voix râpeuse comme du papier de verre. C'est une école située sur une île, au large de Norfolk.

— Qu'a-t-elle de monstrueux ? questionna le chef de la police.

— Laissez-moi terminer, rétorqua l'évêque en roulant des yeux.

— J'ignorais qu'il y avait des îles au large de Norfolk, remarqua le fonctionnaire.

— En effet, acquiesça l'évêque Bletchley. Il est inconcevable que cette île existe ! De même que l'école. C'est une absurdité, un non-sens. Car voyez-vous, monsieur le ministre, et vous, messieurs... bien que prétendant être une école ordinaire, Groosham Grange n'accepte qu'un certain type d'enfants. Les septièmes fils des septièmes fils, et les septièmes filles des septièmes filles.

— Vous voulez dire... les enfants de familles nombreuses ? s'étonna le docteur.

— Non. Je veux parler des sorciers !

L'évêque abattit son poing sur la table. Le général de brigade plongea dessous pour se mettre à couvert. Les autres levèrent les yeux au ciel. Reprenant son souffle, l'évêque continua :

— Pauvres enfants ! Ils n'étudient pas ces matières essentielles que sont la couture ou le ménage. Non ! Ils apprennent la magie noire, la sorcellerie, les sortilèges !

— N'est-ce pas illégal ? demanda le chef de la police d'un ton soupçonneux.

— Évidemment, c'est illégal ! couina l'évêque.

C'est contre la loi de l'État, contre la loi de l'Église, et même contre les lois de la nature !

— Alors pourquoi ne ferme-t-on pas l'école ? demanda le général de brigade en émergeant de sous la table.

— Ce n'est pas si facile, mon cher général, intervint le ministre de l'Éducation. N'oublions pas qu'il ne s'agit pas d'un établissement ordinaire. L'un des professeurs est un fantôme, et le conseil d'administration compte une momie égyptienne, un loup-garou et un directeur à deux têtes. Mon ministère a délégué sur place un inspecteur. Pauvre Netherby ! Il n'en est jamais revenu. Je prie encore pour que l'on ait de ses nouvelles. Entre autres inconvénients, il n'a pas pu annuler sa livraison de lait à domicile et plus de six cent quarante bouteilles sont entreposées devant sa porte.

— Êtes-vous en train de nous dire...

Le chef de la police clignait des yeux comme un hibou. C'était un homme assez lent d'esprit, au physique épais. Il portait un uniforme bleu foncé, constellé d'argent.

— Êtes-vous vraiment en train de nous dire que cette école enseigne les sciences occultes ? dit-il.

— En effet, commissaire. Vous avez résumé la situation en un seul mot ! répondit le ministre en hochant la tête.

— Mais pourquoi les septièmes fils des septièmes fils ? s'enquit Maureen Tove.

— Parce que ces enfants-là naissent toujours

avec... certains pouvoirs, expliqua l'évêque. L'Église le savait, bien entendu. Mais jusqu'à maintenant, ça ne prêtait pas à conséquence. Les enfants ignoraient comment utiliser leurs pouvoirs, et il n'y avait personne pour le leur enseigner. Et puis Groosham Grange a surgi...

— D'où a-t-elle surgi ? questionna le parlementaire.

Il s'appelait Jack Webb. Homme grassouillet et d'allure miteuse, il avait les dents et les doigts jaunis par le tabac. L'envie de fumer le démangeait atrocement. Depuis le début de la réunion, il avait mastiqué trois paquets de chewing-gum, un sachet de caramels et une manche de sa veste.

— Personne ne le sait, répondit l'évêque avant de reprendre : Groosham Grange enseigne aux enfants à utiliser leurs pouvoirs. Maîtriser le temps, faire apparaître des esprits malfaisants, ensorceler les gens, prédire l'avenir... et le changer. C'est une école du diable, un collège de l'horreur. Nous devons fermer ses portes.

— Si on l'atomisait ? suggéra le général de brigade.

— Impossible. C'est évident, général catastrophe, marmonna le ministre d'un ton aigre. Le gouvernement britannique ne peut pas se permettre de lâcher une bombe atomique sur des enfants. Ça ne plairait pas aux électeurs.

— Mais, avec votre influence et votre pouvoir, monsieur le ministre, il ne devrait pas être difficile de lui supprimer sa licence, suggéra le fonctionnaire en se frottant les mains de satisfaction.

C'était un petit homme malingre en complet gris. On le surnommait Baranne, car il hantait les antichambres du pouvoir pour cirer les bottes de ses supérieurs.

— Impossible ! répondit le ministre. Groosham Grange n'a pas de licence. En fait, officiellement, Groosham Grange n'existe pas. Cela rend les choses d'autant plus difficiles.

— Moi, j'ai peut-être une solution, dit l'évêque en posant devant lui sur la table un livre relié en cuir rouge foncé. Ceci est le journal intime d'un écrivain célèbre, Mme Winnie H. Zoothroat.

Il fit une pause pour appuyer son effet, mais il était évident que personne, autour de la table, n'avait entendu parler d'elle.

— Elle est l'auteur de *Magie noire en Grande-Bretagne,* reprit l'évêque. Winnie H. Zoothroat, vous devez sûrement vous en souvenir, travaillait sur un nouveau livre qui traitait de Groosham Grange, lorsqu'elle a mystérieusement disparu. On a fini par conclure à sa mort. Sa machine à écrire est enterrée à l'abbaye de Westminster.

— Et alors ? s'impatienta le ministre de l'Éducation qui détestait les longs exposés, car cela lui rappelait l'école.

— Ce journal contient certaines notes de l'auteur sur Groosham Grange. Je vais vous lire une page qui me paraît assez intéressante.

L'évêque Bletchley courba un doigt squelettique sur la tranche du livre et l'ouvrit. Puis il sortit de sa poche des lunettes à monture dorée et les ajusta sur son nez. Tout le monde l'observait, sauf le parlementaire qui feignait de chercher quelque chose dans la poche intérieure de sa veste – en réalité, il essayait d'allumer une cigarette sous son bras.

— *Il semblerait,* reprit l'évêque en commençant à lire, *que le pouvoir de Groosham Grange soit concentré dans un calice en argent. C'est le secret le mieux gardé de l'école. Ce Graal – non pas saint mais maudit – est caché quelque part sur l'île du Crâne, et personne n'a le droit d'y toucher, sous peine de mort. Une fois par an, cependant, ce Graal satanique est extrait de sa cachette pour être offert, l'espace d'un seul jour, à l'élève, garçon ou fille, qui a été désigné comme le plus brillant de l'école. Le Graal donne à son détenteur la faculté de voir le passé et l'avenir. En fait, il lui apporte le pouvoir suprême. Mais ce qu'il donne, il peut le reprendre. Le Graal contient l'essence (on pourrait dire l'âme) de Groosham Grange. Aucune main humaine ne peut l'abîmer, et le faire sortir de l'île est quasi impossible. Pourtant, c'est le seul moyen de détruire l'école. En effet, un poème dit ceci :*

"Porte le Graal Maudit dans
l'ombre de saint Augustin
(où quatre chevaliers occirent un saint homme)
et Groosham Grange tombera en poussière."

— On ne dirait pas un poème, remarqua Maureen Tove.

— Ça ne rime même pas, renchérit le chef de la police.

— Ça rime dans le texte original en latin, expliqua l'évêque en poussant un soupir. Je l'ai traduit afin que vous puissiez comprendre.

— Oui, mais moi, je n'y comprends rien, se lamenta le ministre.

— Il s'agit de la cathédrale de Canterbury, aboya l'archevêque.

C'était un vieil homme, qui avait largement dépassé les quatre-vingts ans et dont la tête supportait à peine le poids de sa mitre d'archevêque. Pourtant sa voix claquait comme un fouet.

— Voilà le sens de ce poème. La cathédrale de Canterbury... Saint Augustin de Canterbury y a baptisé le roi Ethelbert. Quant au saint homme, il s'agit de Thomas Becket, qui fut tué par quatre chevaliers du roi Henri II. Oui, c'est très clair. Si on apporte le Graal Maudit dans l'ombre de la cathédrale de Canterbury, l'école sera détruite.

— Exactement, Votre Sainteté ! s'exclama l'évêque. C'est aussi simple que ça.

— Simple ? sursauta le ministre en reniflant bruyamment. Comment allons-nous trouver le Graal ? Et comment allons-nous le sortir de l'île ?

— J'ai déjà étudié la question, répondit l'évêque, découvrant dans un sourire trois dents en acajou et deux autres en pin. Disons que j'ai fait les premiers pas...

— Moi aussi ! s'exclama l'archevêque. J'adore marcher !

— Non, Votre Éminence, rectifia l'évêque avec un soupir. Ce que je veux dire, c'est que... j'ai un plan.

— Quel plan ? questionna Maureen Tove.

L'évêque jeta un coup d'œil par-dessus son épaule, et huma l'air. De l'autre côté de la table, le parlementaire battait sa veste en toussant. Il avait apparemment fini par mettre le feu à ses vêtements. L'évêque poursuivit à voix basse :

— Je vous ai expliqué qu'on sortait le Graal de sa cachette une fois par an pour le remettre au meilleur élève de l'école. Eh bien, ce fameux jour approche... L'événement aura lieu dans quelques semaines.

— Comment le savez-vous ? demanda le chef de la police.

— J'ai un agent sur l'île. Un agent secret qui me fait directement son rapport. Il est au-dessus de tout soupçon. J'ai déjà reçu trois messages de l'île du Crâne. Et j'ai le plaisir de vous informer que, à mon avis, mon agent n'aura aucune difficulté à s'emparer du Graal et à l'escamoter avant que quiconque s'aperçoive de sa disparition.

— Et ensuite ? demanda le ministre.

Le sourire de l'évêque s'élargit. Maureen Tove et le chef de la police souriaient eux aussi, à présent.

Le fonctionnaire se mordillait les lèvres. Le parlementaire leva les yeux des restes fumants de sa veste. L'archevêque avait la respiration sifflante. Personne ne bougeait. Même les pigeons, dehors, semblaient s'être arrêtés de voler.

— Et ensuite, dit l'évêque, le Graal Maudit sera apporté à Canterbury et déposé dans l'ombre de la cathédrale. À cet instant précis, la mer se déchaînera et engloutira l'île. Les falaises s'écrouleront, l'école sombrera dans les eaux bouillonnantes... Groosham Grange cessera d'exister.

2

Premiers écueils

David Eliot se tenait assis au pied des falaises, à l'extrémité d'une longue saillie rocheuse, où les vagues venaient se briser. C'était l'un de ses coins favoris. Il aimait le bruit du ressac, la mer immense, et au-delà, la masse informe de la côte du Norfolk voilée de gris. Il venait s'asseoir là pour méditer, le visage fouetté par le vent, le goût des embruns sur les lèvres. Il se dégageait de cet endroit quelque chose de... magique.

David avait maintenant quatorze ans, et il savait combien il avait changé depuis douze mois qu'il vivait à Groosham Grange. Il avait grandi (de treize centimètres !), gagné en carrure, et surtout il avait perdu son air de gosse des rues. Désormais il portait les cheveux longs et rejetés en arrière. Son visage, ainsi dégagé, était devenu plus pâle et grave, et ses yeux bleu-vert plus énigmatiques, presque impénétrables.

Toutefois le changement le plus important était intérieur. En un an, David avait appris à se connaître ; il avait découvert les pouvoirs dont le hasard l'avait doté – ce hasard qui avait fait de lui le septième fils, comme son père avant lui... Ainsi, élève ordinaire à ses débuts, David était devenu un expert en magie noire – et il était en bonne voie de prendre la place de premier à l'école : Maître Élève, comme on disait à l'île du Crâne.

— Vincent King..., murmura David.

Pour une fois, David n'était pas seul dans sa retraite favorite. Ses deux meilleurs amis – Jill Green et Jeffrey Joseph – étaient assis à ses côtés. Tous les trois avaient débarqué à Groosham Grange le même jour, et tous les trois avaient beaucoup changé depuis. Jill avait gagné en calme et en assurance. Jeffrey, assez curieusement, était mort. Il avait péri dans un accident quelques mois plus tôt et on l'avait enterré dans le cimetière de l'école. Mais, de temps à autre, lorsqu'il avait envie de bavarder, David appelait son fantôme grâce à une formule magique assez simple.

— Vincent King, répéta David. Je n'ai que trente points d'avance sur lui au C.M.M. Il peut encore me battre.

Le Classement des Maîtres Magiciens, C.M.M.,

était le principal système de notation de Groosham Grange. Toutes les notes des examens de l'année étaient cumulées afin de désigner le premier. Ici, pas de punitions. Les lignes à copier, retenues et autres réprimandes étaient jugées puériles. Toutefois on sanctionnait certaines fautes par des retraits de points au classement général : il n'y avait pas pire punition, puisque les élèves se livraient une compétition acharnée pour obtenir la distinction de Maître Élève.

— Trente points, c'est beaucoup à rattraper, constata Jill. D'autant qu'il ne reste plus qu'un seul examen à passer.

— Jill a raison, acquiesça le fantôme de Jeffrey. Et c'est l'examen de Malédictions perfectionnées. La matière où tu es le plus fort.

Il restait tout juste deux semaines avant le 31 octobre, fête d'Halloween et veille de la Toussaint, la date la plus importante dans le calendrier de l'école. Ce jour-là, on remettait le Graal Maudit au nouveau Maître Élève.

Depuis qu'il avait décidé de rester à Groosham Grange, David s'était juré de remporter le premier prix. Au début, il avait paru imbattable. Puis Jeffrey avait péri au cours d'une leçon de chimie qui avait mal tourné, et un nouvel élève avait pris sa place à l'école : Vincent King.

— Je ne sais pas pourquoi tu n'aimes pas Vincent, dit Jill. Il est vraiment brillant. Il est bon en sport, sympathique et très beau.

— C'est justement pour ça que je ne l'aime pas, répondit David. Il est trop parfait. Si tu veux mon avis, il y a quelque chose qui cloche chez lui.

— Et si tu veux *mon* avis, tu es jaloux.

— Jaloux ?

David ramassa un coquillage et le lança dans la mer. Il attendit qu'il eût sombré puis tendit la main. Le coquillage jaillit de l'eau et revint se nicher dans sa paume. David l'offrit à Jill.

— Très impressionnant, murmura-t-elle d'un ton aigre.

— Pourquoi serais-je jaloux de Vincent ? Je le devance de trente points, tu l'as dit toi-même. Et je n'ai pas l'intention de le laisser me battre maintenant.

— Alors qu'est-ce qui t'inquiète ? demanda Jeffrey.

— Je ne sais pas, répondit David en frissonnant.

Les vagues lui murmuraient quelque chose, mais il ne parvenait pas à saisir leur message. Sa main était glacée à l'endroit précis où le coquillage s'était posé.

— Il se passe quelque chose, reprit-il. Je le sens.

Derrière eux, au loin, une cloche sonna. David regarda sa montre : quatre heures moins le quart. Bientôt auraient lieu les deux derniers cours de la journée : français, avec M. Leloup, puis Sorcellerie générale, avec Mme Windergast. Le français n'enthousiasmait guère David. Il parlait couramment le latin et correctement l'égyptien ancien, mais il ne voyait aucun intérêt à pratiquer les langues modernes. « Après tout, se disait-il, je suis capable de faire apparaître quatorze esprits et deux demi-dieux en égyptien. Que pourrais-je demander en français ? Un plateau de fromages ! » Mais Groosham Grange tenait à enseigner à ses élèves toutes les matières des études secondaires, en plus de ses propres matières. Et la sanction était sévère si l'on se projetait dans le futur pour sauter certains cours.

— On ferait mieux d'y aller, dit David.

— Tu as raison, acquiesça Jill en se levant.

— Il est temps que je disparaisse, dit Jeffrey.

Ce qu'il fit.

Jill et David revinrent ensemble vers l'école.

— Tu es vraiment soucieux, n'est-ce pas ? remarqua Jill après un moment.

— Comment le sais-tu ?

— Tu n'as pas dit un mot depuis cinq minutes. Et tu as les idées aussi emmêlées que du linge qui sort de la machine à laver.

— J'aimerais avoir tes dons de télépathie, sourit David.

— Ce n'est pas très difficile.

— Moi, ça me donne la migraine.

Groosham Grange se dressait devant eux. Après un an, David trouvait encore le bâtiment sinistre. Manoir ou demeure hantée le jour, il évoquait davantage un asile pour fous criminels la nuit, quand la lune sombrait derrière ses hautes tours Est et Ouest. Il y avait des barreaux à toutes les fenêtres et les portes étaient si épaisses que, lorsqu'on les claquait, le fracas se répercutait à deux kilomètres à la ronde. Les briques grises et rouge sombre, sans motif apparent, disparaissaient sous un enchevêtrement de lierre qui rongeait toute la façade comme une horrible maladie de peau. Et pourtant, d'une certaine manière, David aimait cette bâtisse. Il s'y sentait chez lui.

— Tes parents vont venir ? questionna Jill.

— Comment ?

— Dans deux semaines. Pour la remise des prix.

Pendant un instant, David resta interdit. Il savait que Jill avait lu dans ses pensées mais, logiquement, ses parents auraient dû y être enfouis très profondément. Il ne les avait pas revus depuis son entrée à Groosham Grange et, pendant tout ce temps, il n'avait reçu d'eux que deux lettres.

La première venait de sa mère, Eileen Eliot : elle était tellement inondée de larmes que l'encre avait coulé et qu'en la dépliant, le papier s'était déchiré.

La seconde lettre, signée de son père, lui était parvenue quelques jours plus tôt. David l'avait sans doute gardée inconsciemment à l'esprit.

Cher David, disait cette lettre.

Je t'informe que ta mère et moi nous rendrons à Groosham Grange pour la remise des prix, le 31 octobre. Ma sœur, ta tante Mildred, viendra aussi avec nous, et nous la raccompagnerons ensuite à Margate. Ce qui veut dire que nous ne passerons que la demi-journée à l'école. Pour gagner du temps, je ne t'écris aussi qu'une demi-lettre.

Ça s'arrêtait là. La page avait été nettement déchirée en deux.

— Oui, mes parents seront là, dit David avec un soupir. Mon père m'a écrit la semaine dernière. Je ne comprends pas pourquoi on se croit obligés de les inviter sur l'île.

— Certains parents insistent pour venir. Et puis, ça n'arrive qu'une fois par an.

— Tes parents seront là, eux aussi ?

— Non.

Le père de Jill étant diplomate et sa mère actrice, elle les voyait très rarement.

— Papa est en Argentine et maman joue dans *La Cerisaie.*

— Un rôle important ?

— Elle joue l'une des cerises.

Ils étaient arrivés devant l'école. Jill jeta un coup d'œil à sa montre.

— Quatre heures moins deux, annonça-t-elle. On va être en retard.

— Pars devant, marmonna David.

— Allons, courage, David, dit Jill. Ça ne dure qu'une journée. Tu auras à peine le temps de les apercevoir qu'ils seront déjà repartis.

David regarda Jill disparaître par la porte principale et poursuivit son chemin. La classe de M. Leloup se trouvait de l'autre côté : il était plus rapide de passer par-derrière, devant la tour Est, et de traverser le cimetière de l'école.

Mais au moment où il atteignait la première tombe, David s'immobilisa. Quelque chose avait attiré son attention. Sans réfléchir, il plongea derrière la pierre tombale et risqua un coup d'œil par-dessus. Une porte s'était ouverte sur le côté de l'école. Rien de plus normal, si cette porte n'avait pas été fermée en permanence. Elle donnait sur une petite antichambre, au pied de la tour Est. De là, un escalier en pierre montait en colimaçon jusqu'à une pièce circulaire, tout en haut de la tour, à quatre-vingt-dix mètres. Personne n'allait jamais dans la tour Est. En bas il n'y avait rien, et l'escalier éboulé était réputé dangereux : l'accès en était donc défendu. Et pourtant quelqu'un s'apprêtait à en sortir. Qui ?

La réponse ne tarda pas à venir : un garçon franchit le seuil en regardant avec soin autour de lui. David reconnut aussitôt les cheveux blonds coiffés en arrière, la mèche ondulée en travers du front, les yeux d'un bleu perçant, le menton et les épaules carrés, le nez légèrement en trompette... Vincent King était allé dans la tour Est et il ne tenait pas à ce que cela se sache. Sans se retourner, il ferma la porte derrière lui, jeta un dernier regard à droite et à gauche, puis s'élança en direction de l'école.

David attendit quelques instants avant de quitter sa cachette derrière la tombe. Il allait arriver en retard au cours de français et savait que cela lui vaudrait des ennuis, mais sa curiosité fut plus forte. Que faisait Vincent dans cette tour ? David approcha. Elle se dressait devant lui, immense, à moitié étranglée par le lierre. C'est à peine s'il pouvait distinguer la fente d'une fenêtre haut perchée, sous les créneaux. Était-ce un jeu de lumière ? ou quelque chose avait-il réellement bougé derrière ? Est-ce que Vincent avait rencontré quelqu'un, non pas au rez-de-chaussée mais tout en haut, dans la pièce circulaire ?

David tendit le bras vers la poignée de la porte.

C'est alors qu'une main s'abattit sur son épaule et le fit pivoter. L'homme avait surgi de nulle part. David en eut le souffle coupé. Mais à la vue de Gregor, l'homme à tout faire de l'école, il se ressaisit.

N'importe qui, intercepté par une telle créature aux abords d'un cimetière, serait sans doute mort de frayeur. Car Gregor semblait tout droit sorti d'un film d'horreur. Il avait le visage boursouflé, les épaules de travers, un œil six centimètres plus bas que l'autre, et le cou tordu ; quant à sa peau, on eût dit du fromage moisi. En fait, Gregor avait figuré dans plusieurs films d'épouvante avant d'être embauché à l'école. Il fallait alors une quinzaine d'heures de maquillage pour le rendre *moins* effrayant.

— Que fais-tu là, jeune maître ? demanda-t-il de sa curieuse voix gargouillante.

Gregor mâchait ses mots comme de la viande crue. D'ailleurs il mangeait de la viande crue. À table, ses manières étaient si répugnantes qu'on le faisait généralement manger *sous* la table.

— Eh bien, je..., bafouilla David.

— Tu manques des leçons, jeune maître. De merveilleuses leçons. Tu devrais te dépêcher de rentrer.

Gregor se déplaça de manière à s'interposer entre David et la porte de la tour.

— Attendez, Gregor. Laissez-moi quelques minutes.

— Non, répondit Gregor en se balançant d'un pied sur l'autre, ses mains pendant sur ses genoux. Manquer des cours rapporte de mauvaises notes. Et trop de mauvaises notes, pas de Graal Maudit pour le jeune maître. Oui. Gregor sait...

— Que savez-vous, Gregor ?

Soudain, David était sur ses gardes. Est-ce que Gregor le guettait près de la tour Est ? Avait-il vu Vincent en sortir ? Pourquoi mentionnait-il subitement le Graal ? Cette rencontre n'était sûrement pas due au hasard.

— Dépêche-toi, jeune maître, insista Gregor.

— D'accord, Gregor, se résigna David. J'y vais.

Il lui tourna le dos et se dirigea vers l'école. Maintenant David savait. Sur les rochers, déjà, son sixième sens l'avait alerté. Or, ne lui avait-on pas enseigné que le sixième sens était beaucoup plus important que les cinq autres ?

Quelque chose se tramait à l'école. Quelque chose qui, d'une manière ou d'une autre, avait un rapport avec le Graal Maudit. Et David était résolu à découvrir la vérité.

3

Leçon de vol

David ouvrit la porte de la classe avec une certaine fébrilité. Non seulement il avait dix minutes de retard, mais c'était le cours de M. Leloup. Or, M. Leloup était un loup-garou. Restait à espérer que ce ne fût pas un soir de pleine lune...

David entra dans la salle. Son pupitre – le seul à être vide – le regardait d'un air accusateur. En l'entendant avancer, M. Leloup se détourna du tableau noir.

— Tu es en retard, Eliot, aboya-t-il.

David se détendit. Le professeur de français était dans son état normal : petit, rondouillard, vêtu d'un costume un peu froissé.

— Je suis désolé, monsieur...

— Dix minutes de retard, coupa M. Leloup. Peux-tu me dire où tu étais ?

David ouvrit la bouche pour répondre, puis se ravisa. Du coin de l'œil, il apercevait Vincent King. Le nouvel élève occupait le pupitre derrière le sien. Il feignait de lire son livre, mais son demi-sourire laissait penser qu'il prévoyait ce qui allait arriver.

— Je me promenais, monsieur, répondit David.

— Tu te promenais ? sursauta M. Leloup. Je te retire trois points du classement général. Maintenant, regagne ta place, je te prie, Eliot. Nous en sommes aux verbes du troisième groupe...

David s'assit et ouvrit son livre. Il s'en était sorti sans trop de dommage : trois points de moins, ça lui en laissait encore vingt-sept d'avance. Il ne restait qu'un seul examen à passer, dans un jour ou deux, et le classement serait clos pour cette année. De plus, les Malédictions étaient sa matière forte. Jamais Vincent ne pourrait le rattraper. Néanmoins David fit un effort de concentration tout particulier – au cas où on lui poserait des questions – et il ne se relâcha que lorsque cinq heures sonnèrent.

Il se joignit alors au flot qui se répandait dans le couloir en attendant le dernier cours de la journée. C'était l'un des plus intéressants : Sorcellerie générale. Le professeur, Mme Windergast, était une vieille dame qui faisait également office d'infirmière. David avait mis du temps à s'habituer à ses méthodes. Un jour (il venait d'arriver à Groosham Grange), il avait été la voir pour un mal de tête.

Mais au lieu d'une aspirine, elle lui avait donné un aspic. Elle avait pêché le petit serpent vénéneux dans un bocal et le lui avait posé sur la tête pendant quinze secondes. Expérience éprouvante, mais David avait dû reconnaître l'efficacité du remède.

Ce jour-là, le cours de Mme Windergast portait sur la faculté de voler. Inutile de préciser qu'il ne s'agissait pas des vols d'avion.

— Le manche à balai a toujours été le moyen de locomotion préféré de mes consœurs, expliqua Mme Windergast. Quelqu'un sait de quoi il était fait ?

Une fille leva la main pour répondre :

— En bois de noyer ?

— Exact, Linda. Dans l'ancien temps, le balai était un symbole de féminité. Heureusement, il ne l'est plus. Maintenant, qui peut m'expliquer pourquoi les sorcières utilisaient des balais ?

La même fille leva la main :

— Parce que les puissances que le balai aurait dû vaincre se saisissaient de lui et l'emportaient.

— Encore exact, Linda.

Mme Windergast marmonna quelques mots : il y eut un éclair et Linda explosa en poussant un petit cri. Une seconde plus tôt elle était assise sur sa chaise, souriante, maintenant il ne restait d'elle qu'une petite flaque verte et quelques mèches de cheveux.

— Il n'est jamais judicieux de connaître *toutes* les bonnes réponses, remarqua Mme Windergast d'un ton aigre. Donner une bonne réponse, c'est bien. En donner deux, c'est faire de l'esbroufe. J'espère que Linda retiendra la leçon.

Mme Windergast sourit. Petite et rondelette, elle semblait sortie d'un roman du XIXe siècle. La grand-mère modèle. En réalité, c'était une calamité. Brûlée sur un bûcher en 1214 (sous le règne du roi John), puis une deuxième fois en 1336, elle préférait désormais garder ses distances et n'assistait jamais aux barbecues.

— Cependant, Linda avait parfaitement raison, poursuivit-elle en traversant la salle de classe pour sortir un manche à balai de derrière le tableau. Voici mon balai personnel. Je vais vous montrer combien il est difficile à manœuvrer. Est-ce que l'un de vous veut essayer ?

Personne ne bougea. Tous les yeux restaient fixés sur le pupitre de Linda d'où s'élevaient quelques volutes de fumée.

Mme Windergast eut une petite toux impatiente.

— Vincent King...

Vincent se leva et s'approcha du professeur. David plissa les yeux. Il était visible que Mme Windergast était de mauvaise humeur. Vincent allait peut-être l'irriter et subir le même sort que Linda. Maigre espoir.

— Mon balai m'est très précieux, poursuivit Mme Windergast. Comme toute sorcière qui se respecte, je ne m'en sépare jamais. C'est donc un grand honneur que je te fais, jeune homme. Te sens-tu capable de le chevaucher ?

— Oui... je crois.

— Alors essaie !

Vincent empoigna le balai et murmura quelques paroles magiques. Aussitôt le balai s'éleva au-dessus du sol. Tout doucement, Vincent l'enfourcha comme il l'aurait fait d'un cheval. David observait la scène d'un air maussade. Vincent réussissait parfaitement l'exercice. Ses deux pieds avaient quitté le sol et il flottait en l'air comme s'il avait fait ça toute sa vie.

— Essaie d'avancer, suggéra Mme Windergast.

Vincent se concentra et prit un peu de hauteur, en se maintenant en équilibre sur le balai. Il effectua un virage et se dirigea vers le tableau, le manche devant lui, les branches derrière. Gagnant en assurance, il se mit à sourire, et David résista à l'envie d'invoquer un petit démon du vent qui lui ferait perdre son bel équilibre.

Ce ne fut pas nécessaire. Quand les choses commencent à aller mal, tout va de travers, c'est bien connu. Le balai vacilla, et soudain la queue se redressa, Vincent poussa un cri et s'écrasa par terre.

— Comme vous le voyez, ce n'est pas aussi facile qu'il y paraît, gazouilla Mme Windergast. Des bobos, mon cher Vincent ?

Vincent se remit debout péniblement en se frottant le dos.

— Il n'y a pas trop de mal, je crois.

— Je pensais au balai, dit Mme Windergast en ramassant l'instrument qu'elle examina d'un regard attendri. J'ai pour règle de ne *jamais* laisser quelqu'un monter dessus. Mais apparemment il n'est pas abîmé. Tu peux regagner ta place, Vincent. Maintenant, ajouta-t-elle en se tournant vers le tableau noir, je vais vous expliquer le curieux mélange de magie et de principes aérodynamiques qui permet de voler sur un balai...

Pendant quarante-cinq minutes, dans un silence total, Mme Windergast exposa sa technique. David entendit sonner la cloche avec regret. Le cours l'avait emballé – surtout la chute de Vincent – et il souriait encore en quittant la classe. Linda sortit derrière lui. Mme Windergast l'avait « reconstituée », mais elle était encore pâle et défaite. David doutait qu'elle devienne un jour une sorcière digne de ce nom. Elle finirait plus probablement sa carrière comme agent de police.

Quelques élèves s'étaient regroupés dans le couloir, parmi lesquels David reconnut Vincent.

— Tu n'as pas eu de chance, David, remarqua celui-ci.

— Quoi ?

Peut-être n'était-ce qu'une remarque innocente, mais David se sentait déjà prêt à bondir.

— Perdre trois points en français, c'est dommage pour toi. L'écart se réduit.

— Ne te fais aucune illusion. Tu es encore loin derrière, Vincent.

C'était Jill qui venait de répondre. David ne l'avait pas vue arriver. Elle vint se placer près de lui, face à Vincent, de l'autre côté du couloir lambrissé de bois.

— Les examens ne sont pas encore terminés, rétorqua Vincent en haussant les épaules.

Là encore, David se sentit irrité sans savoir pourquoi. Détestait-il Vincent uniquement parce qu'il était son rival le plus sérieux, ou bien pour une autre raison ? À le voir sourire d'un air supérieur, nonchalamment adossé contre le mur, il bouillait intérieurement.

— En tout cas, tu avais l'air idiot, tout à l'heure, dit David.

— Quand ?

— En tombant du balai.

— Tu crois que tu aurais fait mieux ?

— Je fais tout mieux que toi.

C'était une remarque stupide, David le savait mais il n'avait pas pu se retenir. Il voulait pousser à bout Vincent, et comme Vincent résistait, cela le mettait hors de lui. Avant même de se rendre compte de ce qu'il faisait, David bouscula Vincent. Celui-ci perdit l'équilibre et son épaule, endolorie par la chute du balai, heurta le mur. Il poussa un cri.

— David..., protesta Jill.

Trop tard. Vincent s'était déjà redressé et se jetait sur David qui laissa tomber ses livres et ses papiers. Il s'aperçut alors que Vincent était plus grand, plus lourd et plus fort que lui. Malgré ça, alors même que la main de son adversaire se refermait sur sa gorge, il ne put s'empêcher d'éprouver un sentiment de satisfaction. Il avait voulu bousculer les défenses de Vincent et il y était parvenu. Il avait pris l'avantage.

Mais voilà que cet avantage lui échappait. Les mains de Vincent se resserraient sur son cou. David leva un genou et l'enfonça dans l'estomac de son adversaire. Celui-ci poussa un grognement et pivota sans desserrer sa prise. La tête de David heurta la cloison de bois.

— Que se passe-t-il ici ? Arrêtez tout de suite !

David sentit son estomac se nouer. De toutes les personnes qui pouvaient surgir dans le couloir à cet instant, M. Helliwell était la pire. C'était un homme immense, noir, large d'épaules, le crâne rond et chauve. Arrivé depuis peu à Groosham Grange, il enseignait les sciences sociales le jour et la science vaudou la nuit. À Haïti – la patrie de M. Helliwell –, les gens craignaient tellement ses pouvoirs de sorcier qu'il lui suffisait de dire « bonjour » pour qu'ils s'évanouissent. Et le facteur était si terrifié qu'il n'avait pas osé distribuer le courrier pendant six ans, ce qui ne portait guère à conséquence puisque personne, sur l'île, n'osait écrire. Dès le début, David s'était mis M. Helliwell à dos.

— David ? Vincent ? beugla le nouveau professeur en les dévisageant l'un après l'autre. Lequel de vous a commencé ?

David hésita un instant. Il se mit à rougir, en

même temps qu'il prenait conscience de sa stupidité. Il s'était conduit comme un garçon ordinaire dans une école ordinaire. À Groosham Grange, il n'y avait pas pire outrage.

— C'est moi, avoua-t-il.

Vincent le regarda sans rien dire. David imagina le plaisir que son rival tirait de la situation. Jill et les autres témoins s'étaient envolés. Il ne restait qu'eux trois dans le couloir. Ayant jeté un coup d'œil aux livres et aux papiers éparpillés sur le sol, M. Helliwell se pencha pour ramasser une feuille. Il la lut rapidement avant de la rendre à David.

— C'est à toi, je crois.

David reconnut la lettre de son père.

— C'est donc toi qui as commencé la bagarre ? insista M. Helliwell d'une voix caverneuse.

— Oui.

M. Helliwell réfléchit un instant. Ses yeux gris étaient impénétrables.

— Très bien, reprit-il. Je te retire neuf points au classement général. Et si je te surprends encore une fois, je t'expédie chez les directeurs.

M. Helliwell tourna les talons et s'éloigna. David le suivit un moment des yeux puis se baissa pour ramasser ses affaires. Il sentait le regard de Vincent rivé sur lui. En se redressant, il le vit qui souriait en secouant la tête.

— Je ne te savais pas aussi stupide, dit-il.

David se retrouva seul. En un seul après-midi, il avait perdu douze points ! Incroyable ! Son avance avait chuté de près de la moitié : de trente à dix-huit points. À midi, il était confortablement installé en tête du classement, royal, inaccessible. Et maintenant...

David serra les dents. Il ne restait plus qu'un seul examen, sa matière favorite. Et il devançait encore largement Vincent. Il garderait l'avantage. Il en était sûr. Le Graal Maudit serait à lui.

David récupéra ses livres et enfila le couloir désert, escorté par l'écho de ses pas.

4

Piégé

Cette nuit-là, David fit un cauchemar.

Vincent King y jouait un rôle, bien entendu. Vincent riant de lui, Vincent brandissant le Graal Maudit, Vincent disparaissant dans un nuage de fumée. Mais bien d'autres visions, plus effrayantes, se dessinaient sur la toile nocturne.

D'abord, ses parents. Sauf que ce n'était pas vraiment ses parents. Ils se transformaient... se métamorphosaient de façon horrible. Ensuite surgissait au-dessus de David un visage qu'il connaissait – ou du moins aurait-il dû le reconnaître, mais David gisait sur le dos, et le soleil l'aveuglait. Enfin il voyait l'école, Groosham Grange, dressée devant un ciel sombre et menaçant. Un éclair étincelant frappait la bâtisse et une large fissure se creusait dans la pierre. Puis tout s'effondrait dans un nuage de poussière.

David s'éveilla.

Groosham Grange comptait neuf dortoirs. Dans celui de David, une salle circulaire, les lits étaient disposés comme les chiffres sur le cadran d'une horloge. Vincent occupait le même dortoir. Son lit, situé sous une fenêtre haute, faisait face à celui de David. En se redressant sur un coude, David pouvait l'apercevoir, brillamment éclairé par la lune. Il était vide.

Où était passé Vincent ? Il avait emporté ses vêtements puisque sa chaise était vide, elle aussi. Dehors, une horloge sonna quatre heures. Presque au même instant, David entendit une porte s'ouvrir en bas, puis se refermer. Ce ne pouvait être que Vincent. Qui d'autre aurait été se promener ainsi en pleine nuit ? David rejeta ses couvertures et sauta au bas de son lit. Il voulait en avoir le cœur net.

Il s'habilla en un tournemain et se faufila hors du dortoir. Il n'y avait pas si longtemps, il aurait été effrayé à l'idée de traverser l'école déserte dans le noir. Mais désormais, les ténèbres ne lui faisaient plus peur. Il connaissait si bien la grande bâtisse, avec ses couloirs sinueux, ses escaliers qui plongeaient subitement, qu'il n'avait même pas besoin d'emporter une torche.

Il descendit l'escalier. Les marches de bois craquaient sous ses pas. Quelle porte avait-il entendue s'ouvrir ? Devant lui se dressait l'entrée principale, lourd panneau de chêne clouté de fer, haut de quatre mètres cinquante. Le verrou était tiré de l'intérieur : Vincent n'avait donc pu passer par là. Sous l'escalier, une autre porte conduisait à la Grande Salle, où l'on servait les repas. La porte était ouverte mais au-delà tout était plongé dans l'obscurité et le silence. On n'entendait que le bruissement des chauves-souris qui avaient élu domicile dans les combles.

Sans un bruit, David atteignit le bas des marches et s'arrêta sur le marbre froid. D'immenses tableaux l'entouraient : les portraits de tous les directeurs et professeurs qui s'étaient succédé dans l'école. Une authentique collection de vieux maîtres ! David sentait leurs yeux posés sur lui, épiant chacun de ses mouvements. Puis il entendit un étrange murmure, qui semblait venir de très loin ; dans leurs cadres, les portraits chuchotaient :

— Où va-t-il ? Que fait-il ?

— Il commet une erreur.

— Ne fais pas ça, David.

— Retourne te coucher, David.

Mais David les ignora. Le couloir s'enfonçait dans l'obscurité jusqu'à la porte donnant sur la bibliothèque. À mi-chemin, deux autres portes se dressaient de chaque côté du couloir. Celle de gauche menait au bureau de M. Kilgraw, le directeur adjoint. Elle était fermée et aucune lumière ne filtrait dessous. Mais en face... David sentit ses cheveux se dresser sur sa tête. Un rectangle de lumière blanche s'étirait sous la porte, où une plaque indiquait : Direction. C'était le bureau de MM. Fitch et Teagle, les codirecteurs de Groosham Grange.

Codirecteurs, c'était le mot. M. Fitch et M. Teagle étaient les deux têtes d'un corps unique. Leurs cous surgissaient d'une seule paire d'épaules pour former une sorte de Y. La première fois que David les avait vus, il s'était évanoui. Il lui avait ensuite fallu plusieurs mois avant de pouvoir rester en leur présence sans défaillir.

Depuis leur prime jeunesse, Archibald Fitch et Edward Teagle étaient des amis intimes mais aussi des savants. Ils travaillaient ensemble sur un médicament contre le rhume lorsque, un jour, une expérience avait mal tourné. Sans parvenir à percer le mystère qui entourait ce drame, David avait cru comprendre qu'il s'était produit une terrible explosion. Certains parlaient d'un gigantesque éternuement. Quoi qu'il en soit, lorsque la fumée s'était dissipée, on avait retrouvé un corps... à deux têtes.

David savait que MM. Fitch et Teagle n'étaient pas dans leur bureau. L'après-midi même, ils s'étaient plaints d'une migraine – pour eux, le pire des maux – et avaient annoncé qu'ils se coucheraient de bonne heure. Bien entendu, M. Fitch et M. Teagle dormaient dans le même lit. L'un et l'autre parlant dans leur sommeil, ils échangeaient des propos animés pendant la nuit.

Que faisait Vincent – si c'était lui – dans leur

bureau ? Avec précaution, – car tous les planchers de Groosham Grange semblaient conçus pour craquer bruyamment –, David parcourut le couloir sur la pointe des pieds. Aucun son ne s'échappait du bureau. Lentement, il tendit la main vers la poignée et l'ombre de son bras, éclairé par en bas, s'étira en travers de la porte. David n'avait pas prévu ce qu'il ferait s'il se retrouvait face à Vincent. Mais peu importe ! L'essentiel était de le surprendre.

Il ouvrit la porte et cligna des yeux, ébloui par la lumière. La pièce était vide.

David referma la porte derrière lui et pénétra dans le sanctuaire des « Deux Têtes ». L'endroit ressemblait en effet davantage à une chapelle qu'à un bureau : sol en marbre noir, vitraux aux fenêtres, mobilier massif et imposant. Ainsi le grand bloc de bois qui faisait usage de bureau évoquait plutôt un autel. Quant aux murs, ils étaient tapissés de livres reliés de cuir, qui faisaient ployer les étagères sous leur poids. David prit soudain conscience des risques qu'il courait si on le surprenait dans cette pièce. Personne n'était autorisé à y entrer à moins d'être convoqué. Mais il était trop tard pour battre en retraite.

La lumière qui l'avait attiré provenait d'une lampe posée sur un meuble à tiroirs occupant toute la longueur de la pièce. David aperçut pêle-mêle un enchevêtrement d'éprouvettes, un rat empaillé, un crâne humain, un ordinateur, une paire de poucettes de torture et un casque allemand de la Première Guerre mondiale. Il se demanda à quoi servait l'ordinateur.

Mais l'heure n'était pas aux questions. Vincent n'était pas là, et cela seul comptait. Lui non plus n'aurait pas dû se trouver là : il fallait filer en vitesse. C'est alors qu'il le vit. Dans le coin le plus éloigné, au-dessus d'une petite table, un trou rond dans le mur : un coffre-fort ! Quelqu'un avait ôté le tableau qui le masquait et ouvert la porte.

Tel un moustique attiré par la lumière, David s'approcha de la table où étaient posées quatre feuilles de papier. Il devina de quoi il s'agissait avant même de les ramasser. Il jeta un coup d'œil à la page de titre :

GROOSHAM GRANGE – SESSION D'EXAMEN
Certificat d'études secondaires
ÉPREUVE DE MALÉDICTIONS
NIVEAU AVANCÉ

David était devant le coffre béant, les papiers dans la main, lorsque la porte s'ouvrit brusquement derrière lui. Un frisson d'angoisse lui parcourut l'échine. Il se retourna, conscient d'avoir été piégé, sachant qu'il était trop tard pour réagir. M. Fitch et M. Teagle étaient là, en peignoir et pyjama. Et ô surprise, à leurs côtés se trouvait M. Helliwell, le professeur de vaudou, qui, lui, était habillé. Les trois hommes – ou plus exactement les deux hommes et demi – le dévisageaient d'un air incrédule.

— David… ! murmura la tête chauve. C'était M. Fitch. Il pointait vers David son nez busqué d'un air accusateur.

— Que fais-tu ici ? demanda la tête à la barbiche bien taillée. C'était M. Teagle. Il clignait des yeux derrière ses lunettes, la bouche grimaçante.

— Jamais je n'aurais cru ça de toi, Eliot, dit M. Helliwell d'un ton sincèrement étonné, avant de se tourner vers les directeurs. J'ai entendu du bruit dans le bureau et j'ai cru qu'il y avait des voleurs. Je n'aurais jamais imaginé…

— Vous avez bien fait de nous prévenir, monsieur Helliwell, coupa M. Fitch.

— Très bien fait, renchérit M. Teagle.

— Maintenant vous pouvez disposer, reprit M. Fitch. Nous allons régler ça.

M. Helliwell semblait vouloir ajouter quelque chose. Il regarda David, secoua la tête, haussa les épaules, puis s'en alla en marmonnant un vague « Bonne nuit ».

M. Fitch et M. Teagle restèrent où ils étaient.

— As-tu quelque chose à dire pour ta défense, David ? questionna M. Fitch.

David réfléchit un instant. La défaite avait un goût amer – et il aurait voulu cracher pour s'en débarrasser. Il avait perdu. On lui avait tendu un piège. Les portraits avaient raison. Maintenant il était trop tard pour trouver une issue. Quelle excuse inventer ? Le coffre était ouvert, les questions d'examen dans ses mains, et il était seul dans le bureau. En essayant de se justifier, il ne ferait qu'empirer les choses.

Il secoua la tête.

— Tu me déçois beaucoup, reprit M. Fitch.

— Moi aussi, acquiesça M. Teagle. Non seulement parce que tu as triché, ce qui est déjà très mal...

— ... mais ce qui est pire, tu t'es laissé surprendre en train de tricher, termina M. Fitch. Franchement tu m'étonnes. Quelle maladresse ! Quel amateurisme !

— Et pourquoi prendre un tel risque ? demanda M. Teagle. Tu aurais aisément remporté l'épreuve de Malédictions sans avoir besoin de tricher. Maintenant nous allons devoir changer toutes les questions et modifier entièrement l'examen.

Les deux directeurs hochèrent la tête en même temps, ce qui provoqua une oscillation de tout leur corps. David se taisait toujours. Il était furieux contre lui-même. Il s'était fourré tout seul dans ce pétrin. Comment avait-il pu se conduire aussi bêtement ?

— As-tu conscience de la gravité de ta faute ? demanda M. Teagle.

David rougit violemment. Il ne pouvait se taire plus longtemps.

— Les apparences sont contre moi, monsieur. Ce n'est pas ce que vous croyez...

— Allons, David, le coupa M. Fitch. Tu veux

sans doute nous faire croire que tu es victime d'un coup monté ?

— Ou que tu as cru entendre des voleurs, comme notre bon ami M. Helliwell, ajouta M. Teagle d'un ton sarcastique.

— Non, murmura David en baissant la tête.

— Nous pourrions te disqualifier, dit M. Fitch.

— Ou pire, insista M. Teagle.

— Bien pire, renchérit M. Fitch. Mais, jusqu'ici, tu as travaillé très dur et réussi brillamment.

— Oui, très dur.

— Alors nous nous montrerons magnanimes.

M. Fitch fit un signe de tête interrogateur à M. Teagle, qui répondit d'un autre hochement. Les deux têtes évitèrent le choc de justesse.

— Nous allons te déduire...

— Quinze points... ?

— Oui. Quinze points au classement général. Je pense que c'est équitable. Tu désires ajouter quelque chose ?

David secoua la tête. Il se sentait défaillir. Quinze points. Ajoutés aux douze points déjà perdus pendant la journée, il restait...

— Tu veux dire quelque chose, Eliot ?

Il ne lui restait que trois points d'avance sur Vincent. Comment en était-il arrivé là ? Comment Vincent s'était-il débrouillé pour le piéger ainsi ?

— Non, monsieur, répondit-il d'une voix rauque.

— Dans ce cas, je te conseille de retourner te coucher.

— Oui, monsieur.

David s'aperçut qu'il tenait encore les feuillets dans la main. Il serra les dents, chercha à refouler l'amertume qui l'envahissait, et ouvrit ses doigts crispés. Les papiers tombèrent sur la table. David n'avait même pas lu une seule des questions. Mais à quoi bon le dire ?

— Je suis désolé, marmonna-t-il. Et il sortit.

Il longea le couloir et repassa devant la rangée de portraits, en s'efforçant d'ignorer leurs chuchotements attristés. Le cerveau en ébullition, il gravit l'escalier et regagna le dortoir. Vincent était revenu. Ses vêtements étaient posés sur sa chaise et son corps recroquevillé sous les couvertures, comme s'il n'avait pas bougé de la nuit. Mais dormait-il vraiment ? Scrutant l'obscurité, David discerna le demi-sourire qui flottait sur ses lèvres. Non, Vincent ne dormait pas.

David se dévêtit en silence et se glissa dans son lit. Trois points. Trois petits points seulement le séparaient désormais de Vincent. Il répéta ce chiffre encore et encore, jusqu'à ce qu'il finisse par sombrer dans un sommeil rageur et agité.

Cette nuit-là, il ne rêva pas. Quant au cauchemar qui l'avait éveillé un peu plus tôt, il l'oublia complètement.

5

L'examen

Le jour du dernier examen de l'année était arrivé. Malédictions, Niveau Avancé. À Groosham Grange, la tradition voulait que les examens ordinaires se déroulent dans la Grande Salle. Mais ceux de sorcellerie et de magie noire, plus confidentiels, se déroulaient dans le sous-sol de l'école. Les élèves devaient s'enfoncer dans un labyrinthe de tunnels et de passages secrets jusqu'à une salle souterraine où s'alignaient soixante-cinq pupitres et soixante-cinq chaises – loin du soleil inquisiteur. L'épreuve finale ne pouvait se tenir ailleurs que là, dans cette caverne ornée de stalactites et de stalagmites, dont l'entrée était gardée par une imposante cascade de roche.

L'examen était fixé à onze heures. Un quart d'heure avant, David commença à descendre. Il avait la bouche sèche et une boule d'appréhension au creux de l'estomac. C'était idiot. À l'examen des Malédictions, tout le monde le disait imbattable, et Jill lui avait assuré que Vincent n'était pas bon dans cette matière. Le matin même, David avait vérifié une dernière fois le classement général. Il occupait toujours la première place et Vincent était à trois points derrière. Ensuite il y avait un écart de vingt et un points avec la troisième : c'était Linda, la fille que Mme Windergast avait démolécularisée. Tout se jouait donc entre Vincent et lui. Et Vincent n'avait aucune chance.

Alors pourquoi David se sentait-il nerveux ? Il ouvrit la porte de la bibliothèque et entra. Devant lui se dressait un miroir en pied, où il examina son reflet avec attention. La fatigue se lisait sur ses traits. Il dormait mal depuis cette fâcheuse rencontre dans le bureau des directeurs. Un tricheur ! Voilà ce qu'on disait de lui, et cette injustice le rendait amer. Mais le pire, c'est qu'il avait conscience de sa propre bêtise. Il avait laissé Vincent lui tendre un piège puéril et il méritait presque cette sanction de quinze points.

David n'était plus qu'à quelques centimètres de son propre reflet. Il s'adressa une grimace et fit un pas dans le miroir. La glace ondoya comme de l'eau autour de lui et il passa au travers, quittant la bibliothèque pour déboucher dans les passages souterrains. Il faisait si froid qu'un petit nuage de buée se forma devant ses lèvres, tandis que l'humidité collait à ses vêtements. La salle d'examen se trouvait tout droit mais, sous le coup d'une impulsion subite, David bifurqua à droite dans un autre passage. C'était une fissure dans la roche, si étroite par endroits qu'il fallait retenir son souffle pour s'y faufiler. Puis les parois s'élargirent brusquement et David vit enfin ce qu'il désirait tant voir.

Le Graal Maudit.

Il était niché au fond d'une grotte miniature, derrière six barreaux de fer épais de plusieurs centimètres, encastrés dans la roche. Il n'existait aucun autre accès visible. Posé sur un piédestal en pierre, le Graal baignait dans une lumière argentée, surnaturelle. C'était un calice d'environ vingt-deux centimètres de hauteur, gris métallisé, serti de pierres rouge foncé, rubis ou escarboucles. L'objet n'avait rien d'extraordinaire et pourtant David se surprit à retenir son souffle. Il était hypnotisé. Il percevait si nettement le pouvoir contenu dans le Graal qu'il aurait donné n'importe quoi pour passer ses mains au travers des barreaux et le saisir.

C'était pour lui que David se battait. C'était pour lui qu'il voulait réussir le dernier examen et arriver en tête du classement. Personne ne l'arrêterait.

— David... ?

David fit volte-face. Il était tellement absorbé qu'il n'avait rien entendu venir. Avec un mélange de honte, d'agacement et d'inquiétude, il reconnut le professeur de vaudou et de sciences sociales, M. Helliwell.

— Que fais-tu ici, Eliot ?

— Oh, je regardais...

David était sur la défensive. Après leur rencontre imprévue, l'avant-dernière nuit, il n'avait plus rien à lui dire. Pourtant, à sa grande surprise, M. Helliwell se rapprocha et l'observa avec une grimace intriguée.

— David... Je voulais te parler de l'autre nuit.

— À quel sujet ?

Encore sous le choc de sa mésaventure, David se conduisait de façon délibérément insolente.

M. Helliwell poussa un soupir. La lumière se reflétait sur l'énorme dôme noir de son crâne. Visiblement, il était perplexe.

— Écoute, Eliot ! Je sais que tu es en colère. Mais je veux que tu saches une chose : je ne crois pas que ce soit toi qui aies pris le dossier d'examen.

— Comment ?

David sentit son cœur bondir. Où M. Helliwell voulait-il en venir ?

— J'ai été aussi surpris que les autres de te trouver dans ce bureau, poursuivit le professeur. Je faisais ma ronde quand j'ai entendu quelqu'un descendre l'escalier. Il faisait sombre et je ne l'ai pas vu distinctement. Mais j'aurais juré qu'il avait des cheveux blonds... Plus clairs que les tiens.

Des cheveux blonds. Vincent, évidemment.

— Je l'ai aperçu qui entrait dans le bureau des

directeurs, alors je suis allé prévenir M. Fitch et M. Teagle. Quel qu'il soit, celui qui est entré dans le bureau avait laissé la porte entrebâillée. J'en suis sûr. Mais quand nous sommes revenus, la porte était fermée et *tu* étais à l'intérieur.

— Je n'ai pas pris le dossier d'examen, monsieur, dit David. Maintenant les mots s'enchaînaient sans qu'il puisse les retenir. « J'ai été piégé. L'autre voulait que je sois surpris dans ce bureau. Il savait que vous alliez prévenir les directeurs. Il a dû filer juste avant que vous arriviez.

— Ce *Il*... Tu sais qui c'est ? »

L'espace d'un instant, David fut tenté de désigner Vincent King, mais ce n'était pas dans ses habitudes. Il secoua la tête.

— Pourquoi n'avez-vous pas raconté aux directeurs ce que vous aviez vu ?

— À ce moment-là, l'affaire semblait entendue, répondit M. Helliwell en haussant les épaules. C'est seulement plus tard... Encore maintenant, je ne suis sûr de rien, David. Je te crois... peut-être. Mais c'est ta parole contre celle de...

... Vincent. David hocha la tête. Le piège avait été trop bien préparé. Et il était trop tard maintenant pour se disculper.

— Il est bientôt onze heures, reprit M. Helliwell en consultant sa montre. C'est moi qui surveille l'examen. Tu ferais bien de gagner ta place en vitesse. Il posa une main solide et lourde sur l'épaule de David et ajouta : « Mais si tu as d'autres problèmes, mon garçon, viens me trouver. Je pourrai peut-être t'aider.

— Merci, monsieur. »

David rebroussa chemin vers la galerie. Il se sentait beaucoup plus sûr de lui qu'une heure auparavant. Vincent l'avait piégé une fois, et il l'avait échappé belle. Il n'y aurait pas de seconde fois.

David réussirait l'examen. Et le Graal Maudit serait à lui.

GROOSHAM GRANGE – JURY D'EXAMEN
Certificat d'études secondaires
MALÉDICTIONS – NIVEAU AVANCÉ
Mardi 17 octobre 1994. Minuit
DURÉE : 2 HEURES

Écrivez votre nom et votre numéro de candidat à l'encre (ou au sang) sur chaque côté de la feuille. N'écrivez que sur une face de la feuille. De préférence pas sur la tranche. Répondez à *toutes* les questions.

INFORMATION AUX CANDIDATS

Le nombre de points est indiqué entre parenthèses à la fin de chaque question, ou partie de question. Le total de cette épreuve est de soixante-dix points. Il est interdit aux candidats de jeter une malédiction à l'examinateur.

1 – Écrivez en entier les formules magiques qui peuvent provoquer les malédictions suivantes (20) :

a) Calvitie (2)

b) Acné (2)
c) Mauvaise haleine (2)
d) Amnésie (4)
e) Mort (10)

ATTENTION : Ne pas murmurer les mots en les écrivant. Si la personne assise près de vous perd ses cheveux, se couvre de boutons, empeste l'oignon, oublie pourquoi elle se trouve là, et/ou meurt, vous serez disqualifié.

2 – Votre tante vous annonce qu'elle vient séjourner chez vous pour Noël et le Nouvel An. Elle a quatre-vingt-dix ans et vous bave un peu sur la joue quand elle vous embrasse. Bien que vous ayez quinze ans, elle persiste à penser que vous en avez neuf. Elle critique votre façon de vous habiller, votre coiffure, vos goûts musicaux. Comme à son habitude, elle vous offre un chèque-livre.

Décrivez en deux cents mots une malédiction appropriée qui, à coup sûr, lui fera passer le prochain Noël dans :

a) Le service de soins intensifs de l'hôpital local (2)
b) Une rizière en Chine (3)
c) Un cratère sur la face cachée de la lune (5)

3 – Qu'est-ce que la thanatomanie ? Donnez la définition et deux exemples historiques. Décrivez ensuite comment on peut y survivre (10)

4 – Rédigez une malédiction appropriée pour TROIS des individus ou catégories d'individus suivants (10) :

a) Braconniers d'éléphants (2)

b) Spectateurs qui bavardent dans les cinémas (2)
c) Passants qui jettent des ordures n'importe où (2)
d) Jordy (2)
e) Fabricants de tabac (2)

5 – Décrivez la façon dont vous re-déclencheriez la Grande Peste, en utilisant des ingrédients en vente dans le supermarché de votre quartier (20).

C'était d'une facilité inouïe. À peine David eut-il parcouru les questions qu'il reprit confiance. Il avait révisé la Grande Peste quelques soirs auparavant. Le reste était enfantin.

Voilà pourquoi il souriait lorsque la cloche sonna l'heure et que M. Helliwell annonça la fin de l'examen. Alors que tous les élèves restaient assis, Vincent et un autre garçon du premier rang se levèrent pour ramasser les copies. Ce fut Vincent qui vint prendre celle de David. Tandis qu'il la lui tendait, David accrocha le regard de son rival. Inutile de parler pour faire passer le message : j'ai répondu correctement à toutes les questions, plus rien ne peut m'arrêter.

M. Helliwell rangea les copies dans sa sacoche en cuir et congédia tout le monde. De retour à l'air libre, David rejoignit Jill. Il faisait un temps magnifique. Après le froid humide du sous-sol, le soleil réchauffait délicieusement.

— Comment ça s'est passé pour toi ? demanda David.

— Mal, grimaça Jill. Qu'est-ce que c'est que ce truc, la thanatomanie ?

— Une sorte de malédiction multiple. Quand une sorcière voulait anéantir un village tout entier et non une seule personne...

— Eh bien, moi, c'est l'examen qui a failli m'anéantir. Tu as l'air content.

— C'était facile, dit David.

— J'en suis ravie pour toi, marmonna Jill.

Elle aperçut Vincent, souriant, qui marchait d'un pas allègre vers la tour Est.

— À ta place, je ne me réjouirais pas trop vite, reprit Jill en le suivant des yeux. Regarde Vincent, là-bas. Il a l'air sacrément confiant, lui aussi.

Au cours des jours qui suivirent, David se remémora les paroles de Jill. Le classement général s'était officiellement clos avec le dernier examen. Tout dépendait donc des résultats de l'épreuve de Malédictions. En dépit de la confiance désinvolte qu'il affichait, David ne pouvait s'empêcher de rôder autour du tableau où la liste des notes serait placardée.

Il se trouvait justement dans les parages le soir où le directeur adjoint, M. Kilgraw, apparut avec une feuille de papier dans une main et une punaise dans l'autre. Malgré lui, David sentit son cœur s'emballer, sa gorge se serrer et ses mains devenir moites. Personne alentour... Il serait donc le premier à lire le résultat... résultat qu'il était sûr de deviner par avance.

Se retenant de courir, il approcha du tableau d'affichage. M. Kilgraw le gratifia d'un sourire meurtrier. Il faut dire que, en sa qualité de vampire, les sourires de M. Kilgraw étaient toujours meurtriers.

— Bonsoir, David.

— Bonsoir, monsieur.

Pourquoi M. Kilgraw n'ajoutait-il rien ? Pourquoi ne le félicitait-il pas ? David dut faire un effort pour poser les yeux sur le tableau. C'était pourtant bien ça.

EXAMEN DE MALÉDICTIONS
RÉSULTATS.

Mais le nom qui figurait en haut de la liste n'était pas le sien.

Linda James arrivait en tête.

David cligna des yeux, incrédule. Qui était deuxième ?

William Rufus.

Venait ensuite Roger Bacon.

Impossible.

— Un résultat très décevant pour toi, David.

C'est à peine si David entendit M. Kilgraw. La panique l'avait saisi. Tout se brouillait devant ses yeux. Enfin, il vit le nom de Vincent, à la neuvième place, avec soixante-trois points, puis le sien, à la onzième place, avec seulement soixante points. Impossible !

— Très décevant, répéta M. Kilgraw.

Mais il y avait quelque chose d'étrange dans sa voix. Doucereuse et menaçante, comme à l'accoutumée, elle laissait percer autre chose. Est-ce que par hasard il était content ?

— Onzième...

David était abasourdi. Il essaya de calculer sa place au classement général. Linda avait obtenu soixante-neuf points. Il était onze places derrière elle, trois places derrière Vincent. Il avait perdu le Graal. Il l'avait forcément perdu.

— J'ai été très surpris, poursuivit M. Kilgraw. Je pensais que tu connaissais le sens de « thanatomanie ».

— Thana...

Sa voix lui paraissait soudain venir de très loin. Il se tourna vers M. Kilgraw. Des bruits de pas se rapprochaient. La nouvelle de l'affichage des résultats s'était répandue. Bientôt il y aurait foule.

— Je connais le sens de thanatomanie, dit David. J'ai écrit la définition...

M. Kilgraw secoua la tête d'un air triste :

— J'ai moi-même contrôlé les copies. Tu n'as pas répondu.

— Mais si, monsieur ! Ma réponse était correcte.

— Non, David. C'était la question trois. Tu as répondu juste à toutes les autres, mais celle-là te coûte dix points. Tu n'as même pas donné de réponse.

Pas donné de réponse ?

Soudain, tout devint clair. C'était Vincent qui avait ramassé les copies. David lui avait remis la sienne. Or, selon les instructions portées sur la feuille d'examen, on devait répondre à chaque question sur un feuillet séparé. Vincent n'avait eu aucun mal à subtiliser une des pages. David était tellement confiant, tellement sûr de lui, que cette éventualité ne l'avait même pas effleuré. Pourtant c'est bien ce qui avait dû se produire. C'était la seule possibilité.

À présent, vingt ou trente personnes se bousculaient devant le tableau d'affichage et criaient les noms et les résultats. David entendit son nom. « Onzième, soixante points. »

— Ils sont premiers ex æquo ! s'exclama quelqu'un. David et Vincent sont à égalité !

— Mais alors, qui remporte le Graal Maudit ?

Tout le monde parlait autour de David. Pris de nausée et de vertige, il se fraya un chemin à travers la foule et s'enfuit en courant, sans se soucier de Jill et des autres qui le hélaient.

M. Kilgraw le suivit des yeux un moment, puis il hocha la tête et regagna son bureau.

C'était une nuit sans lune. Comme pour ajouter aux ténèbres, un épais brouillard s'était levé de la mer et rampait sur la terre humide, masquant les hauts murs de Groosham Grange. Tout était silencieux. Même Gregor, couché sur l'une des tombes du cimetière, dormait d'un sommeil de plomb. Lui qui ronflait si bruyamment d'habitude était ce soir muet comme une carpe.

Personne n'entendit grincer la porte sur le côté

de l'école. Personne ne vit une silhouette sortir dans la nuit et, avançant sur la mousse et la terre meuble, se diriger vers la tour Est. Une seconde porte s'ouvrit et se referma. À l'intérieur de la tour, une lumière jaillit, vacillante.

Personne ne vit la lanterne tourner sur elle-même et gravir l'escalier en colimaçon qui menait aux créneaux. Une énorme araignée s'enfuit précipitamment, échappant de justesse à une botte de cuir qui martelait les marches en ciment ; un rat se tapit dans un coin, effrayé par la lumière inhabituelle. Mais là encore, aucun œil humain n'était en éveil. Aucune oreille humaine n'entendait le bruit sourd des pas qui gravissaient l'escalier.

La sombre silhouette atteignit la pièce circulaire au sommet de la tour, où huit fenêtres étroites ouvraient sur la nuit. Sur une table étaient posés du papier et une série de boîtes d'où s'élevaient d'étranges bruissements et de petits couinements aigus. L'inconnu s'assit sur un tabouret à trois pieds, tira à lui une feuille de papier et commença à écrire.

À l'attention de l'Évêque Bletchley.

Tout se déroule selon le plan prévu. Personne ne soupçonne rien. Bientôt le Graal Maudit sera à nous. D'autres nouvelles suivront bientôt.

Pas de signature. L'inconnu plia soigneusement la feuille, puis plongea sa main dans l'une des boîtes. Il en sortit quelque chose qui ressemblait à un fragment de cuir déchiré, à cette différence près que la chose bougeait et poussait un étrange petit cri perçant. Après avoir attaché le message à la patte de la créature, il porta celle-ci vers la fenêtre.

« À toi de jouer », murmura-t-il en ouvrant ses mains.

Un bref battement d'ailes. Un dernier cri. Et le message disparut, emporté dans un tourbillon nocturne.

6

Une aiguille dans une botte de foin

— C'est une situation très inhabituelle, constata M. Fitch. Il y a égalité.

— Oui, acquiesça M. Teagle. Vincent King et David Eliot totalisent chacun six cent soixante-six points.

— C'est assez fâcheux, maugréa M. Fitch d'un air irrité. Qu'allons-nous faire ?

Les deux hommes – ou, plus exactement, les deux têtes – jetèrent un regard circulaire à l'assemblée. Ils étaient assis sur une seule chaise à haut dossier, dans la salle des professeurs. Il était midi. Autour de la table se trouvaient M. Kilgraw, M. Helliwell, Mlle Pedicure, Mme Windergast, M. Leloup, et le professeur de latin, docteur ès lettres, M. Creer (paix à son âme : il s'était noyé six ans auparavant). Autrement dit, toute l'équipe dirigeante de Groosham Grange était présente.

M. Kilgraw toussota discrètement. On aurait cru entendre craquer du bois mort.

— N'est-il pas coutume, en pareille circonstance, d'organiser une épreuve pour départager les deux premiers ? proposa-t-il.

— Quel genre d'épreuve ? demanda Mme Windergast.

M. Kilgraw agita une main molle. Les rideaux étaient fermés, mais le peu de lumière qui filtrait suffisait à le faire paraître plus pâle encore que d'habitude. Un vampire, n'ayant ni reflet ni ombre, risquait d'être réduit en poussière si la clarté devenait trop grande. Et il avait vu trop de ses amis finir à l'intérieur d'un sac d'aspirateur pour ne pas prendre grand soin de sa personne.

— Mieux vaudrait qu'elle se déroule hors de l'île, poursuivit-il. À Londres, par exemple.

— Pourquoi Londres ? s'étonna Mlle Pedicure.

— Il me semble que Londres offre davantage de possibilités, répondit M. Kilgraw. Après tout, c'est la capitale. C'est pollué, surpeuplé et dangereux. Bref, c'est l'arène idéale pour des pratiques diaboliques...

— Allons, allons, marmonna Mme Windergast.

— Vous êtes d'accord ? s'enquit M. Kilgraw.

— Non. À mon avis, l'épreuve devrait avoir lieu ici, sur l'île.

— Non, intervint M. Fitch en donnant un coup sec de ses jointures sur la table. Mieux vaut les expédier loin d'ici. La lutte n'en sera que plus intéressante.

— J'ai une idée, reprit M. Kilgraw.

— Nous vous écoutons, gargouilla M. Teagle.

— Au cours de l'année écoulée, nous avons testé les aptitudes de ces garçons dans tous les domaines de notre art. Sacrifice, malédictions, lévitation, métamorphose, thanatomanie...

— Qu'est-ce que c'est, la thanatomanie ? questionna M. Creer.

M. Kilgraw ignora la question et poursuivit : « Je suggère donc un rébus. Ce sera une épreuve d'habileté, d'ingéniosité et d'imagination. L'affrontement de deux esprits... Monsieur Leloup, vous vous sentez bien ? »

Le professeur de français redressa la tête. Il s'était mis à gratter le tapis avec un pied et sa bouche écumait.

— Je suis désolé, bredouilla-t-il. Je... je crois qu'il va y avoir pleine lune, ce soir...

— Ah bon ! Voici donc ce que je vous suggère, reprit M. Kilgraw. Il me faudra un jour ou deux pour régler tous les détails, mais nous trouverons une solution. Celui qui remportera cette épreuve sera notre Maître Élève et il recevra le Graal Maudit.

Autour de la table, les professeurs murmurèrent leur assentiment.

— Qu'en dites-vous, monsieur Helliwell ? s'enquit M. Fitch. Cela vous semble-t-il équitable ?

— Je crois que David Eliot mérite le Graal, répondit le professeur de vaudou d'une voix grave. Je trouve assez bizarre la façon dont il a perdu tant de points en si peu de temps. Mais cette épreuve lui donnera une chance de prouver ce dont il est capable. Je suis certain qu'il va gagner. Donc je suis d'accord.

— Alors c'est décidé, conclut M. Teagle. M. Kilgraw mettra les détails au point. Vous nous informerez quand tout sera prêt, monsieur Kilgraw...

Deux jours plus tard, David et Vincent se trouvaient dans une grotte souterraine de l'île du Crâne, en jean et chemise noire, face à M. Kilgraw, M. Helliwell et Mlle Pedicure. Dans le fond de la grotte se dressaient deux caisses en verre vides. Avec leur air de cabines de douche, elles détonnaient dans ce décor naturel, un peu comme des accessoires de théâtre hors de la scène. David savait à quoi elles allaient servir. Une cabine lui était réservée, l'autre était pour Vincent.

— Vous allez devoir chercher une aiguille dans une botte de foin, annonça M. Kilgraw. Certaines aiguilles sont plus grosses que d'autres, et cela vous mettra peut-être sur la voie. Mais l'aiguille en question est une petite statue à l'effigie de Mlle Pedicure. Je vous préciserai simplement qu'elle est de couleur bleue et mesure dix centimètres.

— La statuette a été prise à ma mamie il y a quelques années, remarqua Mlle Pedicure d'un air nonchalant. Il est grand temps que je la récupère.

— En ce qui concerne la botte de foin, poursuivit M. Kilgraw, il s'agit du British Museum, à Londres. Tout ce que je peux vous dire, c'est que la statuette se trouve quelque part à l'intérieur. Vous avez jusqu'à minuit ce soir pour la trouver. Mais il y a une règle que vous devez respecter..., ajouta-t-il en faisant signe à M. Helliwell de continuer.

— Vous ne devez utiliser *aucun* pouvoir magique, dit le professeur de vaudou. Nous voulons tester votre ingéniosité et votre discrétion. Pour vous aider, nous avons déconnecté le système d'alarme du musée. Néanmoins il y aura des gardiens. Si vous êtes pris, à vous de vous débrouiller...

— Il est sept heures, reprit M. Kilgraw. Nous avons donc tout juste cinq heures. Vous avez bien compris ce qu'on attend de vous ?

David et Vincent acquiescèrent d'un signe de tête.

— Alors allons-y ! Le premier d'entre vous qui découvrira la statuette et la rapportera ici sera déclaré Maître Élève et gagnera le Graal Maudit.

David glissa un coup d'œil à Vincent. Ils ne s'étaient pas adressé la parole depuis l'annonce des résultats de l'examen. Tandis qu'ils échangeaient des regards haineux, l'air grésilla, chargé d'électricité statique. Vincent rejeta en arrière la mèche blonde qui lui barrait le visage.

— J'attendrai ici que tu reviennes, lança-t-il d'un ton provocateur.

— Non, c'est moi qui serai ici le premier.

Chacun entra dans une caisse en verre.

— Prêt ? Partez ! cria M. Kilgraw.

Dans la cabine vitrée, David sentit l'air se refroidir presque aussitôt. Les mains plaquées contre la paroi, il regardait M. Kilgraw. Lentement d'abord, puis de plus en plus vite, la cabine se mit à tourner sur elle-même. Un moment, il se crut dans une attraction foraine, mais sans la musique et sans que cela lui donne mal au cœur. Peu à peu, M. Kilgraw se transformait en une tache de couleur floue et informe, qui se fondait dans les murs de la grotte à mesure que la vitesse augmentait. Bientôt le monde entier devint une masse tournoyante gris argenté. Et soudain les lumières s'éteignirent.

David ferma les yeux. Lorsqu'il les rouvrit, un instant plus tard, il découvrit devant lui une rue bordée d'une haie d'arbustes. Il décolla ses mains de la vitre, où elles laissèrent deux empreintes humides. La caisse en verre était éclairée d'en haut par une simple ampoule jaune. Une voiture passa dans la rue, phares allumés. David se retourna et se heurta l'épaule. Cette fois il comprit où il était.

Il se trouvait dans une cabine de téléphone public rouge, à l'ancienne mode, au milieu de Regent's Park, à Londres. Quand il eut trouvé la porte, il la fit pivoter et déboucha sur le trottoir, dans l'air frais du soir. Aucune trace de Vincent. David consulta sa montre. Sept heures. En moins d'une minute, il avait parcouru près de cinq cents kilomètres.

Mais quelques autres le séparaient encore du musée. Vincent devait déjà être en chemin.

C'était sa dernière chance...

David traversa la rue et se mit à courir.

En fait, David se rendit au musée en taxi. Il le héla dans Baker Street et commanda au chauffeur de rouler aussi vite que possible.

— Le British Museum ? Choisis autre chose, mon gars ! Inutile d'aller là-bas maintenant. C'est fermé pour la nuit. Au fait, tu as les moyens de me payer la course ?

David l'hypnotisa sans perdre de temps. Il savait qu'il n'avait pas le droit d'utiliser ses pouvoirs magiques, mais l'hypnose était une science reconnue, donc ça ne comptait pas.

— Le British Museum, insista-t-il. Et le pied au plancher.

— Pied au plancher ? D'accord, mon prince. Tout ce que tu veux. C'est toi le patron.

Le taxi grilla un feu rouge, zigzagua au milieu d'un carrefour sous les klaxons des voitures qui déboulaient de tous côtés, et fonça dans une rue à sens unique. Le trajet dura à peine cinq minutes, mais David ne fut pas mécontent de descendre de voiture.

Il paya le taxi avec une feuille et deux cailloux ramassés dans Regent's Park et lança :

— Gardez la monnaie.

— Ça alors ! s'extasia le chauffeur en roulant des yeux. Merci, m'sieur. Merci, patron !

Le taxi redémarra, monta sur un trottoir et se jeta dans la vitrine d'un magasin. Après avoir suivi des yeux la course folle de la voiture, David entra dans le British Museum.

Mais pourquoi les grilles étaient-elles ouvertes ? Était-ce une faveur de M. Helliwell ou bien Vincent l'avait-il devancé ?

Dans l'espace dégagé qui menait au musée, David sentit soudain combien il était vulnérable. Le bâtiment lui-même était immense, bien plus grand que dans son souvenir. Il avait entendu dire qu'il y avait plus de cinq kilomètres de galeries : pour s'en convaincre, il suffisait d'observer l'alignement des piliers monumentaux de la façade et l'immense salle centrale.

Ses semelles claquèrent légèrement sur les marches en ciment. De chaque côté du grand escalier s'étiraient des pelouses plates et grises sous la lune, lisses comme du papier. La cahute du planton, près de l'entrée, paraissait déserte, mais un gardien pouvait surgir à n'importe quel moment, avant même que David ait atteint l'intérieur du bâtiment. Son ombre fila en avant sur les marches comme si elle essayait de se mettre à l'abri la première.

La porte principale du musée était verrouillée. David résista à la tentation d'invoquer un démon subalterne ou d'exercer ses pouvoirs magiques.

Cela aurait été si simple, pourtant. Mais M. Kilgraw avait insisté : pas de magie. David tenait à respecter les règles. Il lui fallut quinze minutes, avec une épingle recourbée, pour ouvrir la porte. C'était encore un de ces trucs qu'on lui avait enseignés à Groosham Grange. Enfin il put pénétrer dans le hall silencieux du British Museum. Au-dessus du sol dallé de pierres, un plafond très haut – si haut qu'on le voyait à peine. À droite et à gauche, des portes. En face : un guichet d'information et ce qui ressemblait à une boutique de souvenirs. Sur le côté, un escalier imposant, gardé par deux lions en pierre. Quelle direction choisir ?

C'est alors seulement que David prit conscience de l'énormité de la tâche qui l'attendait. Mlle Pedicure vivait depuis une éternité et elle avait quasiment fait le tour du monde. Sa statuette – prise à sa mamie – pouvait venir de n'importe où et dater de n'importe quelle époque. Seules certitudes : elle était bleue et mesurait dix centimètres !

Voilà pour l'aiguille. Quant à la botte de foin, elle était gigantesque. Combien d'objets étaient exposés au British Museum ? Dix mille ? Cent mille ? Certains étaient monumentaux – et parmi eux, d'ailleurs, les petits monuments ne manquaient pas –, d'autres à peine plus gros qu'une épingle. Il y avait des collections de la Grèce ancienne, de l'ancienne Égypte, de Babylone, de Perse, de Chine... de l'Âge de Fer, de l'Âge de Bronze, du Moyen Âge, de tous les âges... des outils, des poteries, des horloges, des bijoux, des masques, de l'ivoire.

Une aiguille dans une botte de foin ? On pouvait passer une année entière sans même en voir le chas...

Un grincement de chaîne fit sursauter David. Il se plaqua contre le mur, dans l'ombre d'un recoin. Un gardien en uniforme – pantalon bleu, chemise blanche et trousseau de clefs suspendu à sa ceinture – apparut dans l'escalier et descendit. Il s'arrêta au milieu du hall principal, bâilla, s'étira les bras, puis disparut derrière le guichet d'information.

Accroupi dans l'obscurité, David réfléchissait. Il n'avait que trois possibilités. Un : fouiller le musée aussi vite que possible en ne comptant que sur la chance. Deux : dénicher un catalogue quelconque et tâcher de trouver la statuette répertoriée. Trois : tricher et user de ses dons de magicien.

Évidemment, la troisième option était la plus tentante. Il pouvait repérer mentalement la statuette comme un radar. Il mettrait ensuite une heure – au pire – à rentrer, et personne n'en saurait rien. Peut-être même s'attendait-on à ce qu'il triche. Mais David rejeta aussitôt cette solution. Il réussirait selon ses propres règles.

L'idée du catalogue était la meilleure mais, à supposer qu'il en trouve un, dans quelle rubrique chercherait-il ? Le nom de Mlle Pedicure avait peu de chances de figurer dans l'index. Quant aux statuettes, il y en avait sans doute dans toutes les salles. Un catalogue ne servirait donc à rien.

Restait la première option. David se releva, traversa le hall et gravit l'escalier que le gardien venait de descendre. Il n'avait plus qu'à compter sur la chance.

Trois heures et demie plus tard, il était revenu au point de départ.

Il avait mal à la tête et la fatigue lui brûlait les yeux. Après les mosaïques romaines et la période médiévale britannique, il avait rebroussé chemin jusqu'au début de l'Âge de Bronze (en évitant deux autres gardiens) et traversé la Syrie antique. Il avait vu défiler environ dix mille objets, tous soigneusement numérotés et exposés dans des vitrines. Mais tel un client égaré dans un monstrueux supermarché, il n'avait aperçu nulle part l'objet susceptible de ressembler, de près ou de loin, à ce qu'il cherchait. Au bout d'un moment, il ne savait même plus ce qu'il regardait. À peine faisait-il la différence entre une jarre babylonienne et un tapis sumérien... De toute façon, David n'avait jamais été un fan des musées, mais là, ça devenait franchement une torture.

De retour dans le hall d'entrée, il consulta sa montre. Onze heures moins le quart. Il ne restait plus qu'une heure et quinze minutes... en supposant que Vincent n'ait pas déjà trouvé la statuette et regagné l'île du Crâne.

Un gardien traversa le hall et lança : « Qui est là ? »

David se figea. Il n'allait pas se faire pincer maintenant ! Mais un second gardien apparut à la porte de droite et répondit à son collègue :

— C'est moi.

— Fred ? Je croyais avoir entendu quelqu'un...

— Ouais. Cet endroit me donne la chair de poule. J'ai entendu des bruits toute la soirée. Des bruits de pas...

— Moi aussi. Si on s'offrait une tasse de thé ?

— J'ai quelque chose de plus corsé...

Tandis que les deux hommes s'éloignaient ensemble, David s'esquiva par la porte menant à la boutique du musée. Il pensa de nouveau au catalogue, mais y renonça. Le temps pressait. Il fallait continuer.

Il dépassa donc la boutique, tourna à droite, et déboucha dans la salle la plus fantastique qu'il eût jamais vue.

L'immense galerie, qui s'étirait sur toute la longueur du musée, contenait une fabuleuse collection d'animaux, d'humains, et de créatures mi-humaines, mi-animales. Avec un fort air de famille égyptien. De gigantesques pharaons sculptés dans la pierre noire trônaient, les mains sur les genoux, implacables – et inchangés depuis des millénaires. Ailleurs, deux barbus, dotés de pattes de lions et d'ailes de dragons, se tenaient accroupis de part et d'autre d'une alcôve, en face d'un tigre colossal qui semblait rugir en silence dans l'obscurité. Plus loin s'alignaient des têtes de toutes les formes et de toutes les tailles, tournées dans des directions différentes, comme les convives d'une réception démente.

David continua d'avancer comme dans un rêve. Soudain il s'immobilisa. Il venait d'entrevoir Vincent. Le garçon se déplaçait sans un bruit, et il aurait aperçu David le premier s'il n'avait eu la tête tournée. David remarqua qu'il avait retiré ses chaussures et les tenait à la main. Il s'en voulut de ne pas avoir eu la même idée.

Vincent semblait aussi égaré et fatigué que lui. Accroupi derrière un babouin en bronze, David le regarda passer. Il se frottait le front d'un geste si las que David eut pitié de lui. Non qu'il cessât de haïr Vincent ou de s'en méfier : simplement, il savait ce qu'il endurait.

Vincent disparut non loin de l'entrée principale. David se redressa. Et maintenant ? Son rival n'avait pas trouvé la statuette, c'était une bonne chose, mais ça ne l'aidait pas. Il jeta un coup d'œil à sa montre : il restait un peu plus d'une heure.

Où aller ? À l'extrémité de la galerie étaient exposés des sarcophages, des obélisques – certains gravés de hiéroglyphes – tels que la fameuse Aiguille de Cléopâtre[1], quatre divinités avec des têtes de

1. Obélisque en granit rose, rapporté d'Héliopolis (Égypte) en 1878, et installé en bordure de la Tamise, à Londres.

chats (on eût dit des spectateurs assistant à un match de tennis joué au ralenti), et aussi...

David avait compris.

Il aurait dû deviner dès le début. Ce match entre Vincent et lui reposait sur l'intelligence et non sur la chance. « Un test d'ingéniosité », avait dit M. Kilgraw. Ses paroles, celles de Mlle Pedicure, ajoutées à ce que David venait de voir, conduisaient tout naturellement à la solution.

David savait où aller, désormais. Il repéra la pancarte qu'il cherchait et s'élança dans la galerie. En espérant qu'il ne fût pas trop tard.

7

Cire

À eux deux, M. Kilgraw et Mlle Pedicure lui avaient fourni tous les indices nécessaires. David se remémora leurs paroles.

— Certaines aiguilles sont plus grosses que d'autres... cela devrait vous mettre sur la bonne voie.

Or, justement, David venait de voir la plus grosse aiguille de toutes : un obélisque en pierre comme celui qui orne les bords de la Tamise, l'Aiguille de Cléopâtre. Et d'où venait cet obélisque ? D'Égypte, bien entendu !

Mlle Pedicure avait apporté une précision supplémentaire : « Elle a été prise à ma momie », et non à « ma mamie », comme il l'avait d'abord compris.

Mlle Pedicure ne parlait pas de sa grand-mère ! Elle voulait dire que sa statuette avait été ensevelie avec elle. Avec sa momie...

David marchait d'un pas plein de fougue. À l'extrémité de la galerie, la tête d'un bélier géant lui jeta un regard indifférent. Il gravit un escalier quatre à quatre et fonça vers la section égyptienne avec plus d'enthousiasme qu'un car entier de professeurs. La statuette devait forcément se trouver par là. Comment avait-il pu perdre autant de temps ?

La première salle regorgeait de sarcophages, ces boîtes en bois qui renferment les momies. Une douzaine d'entre elles étaient brillamment colorées et, curieusement, très gaies. Comme si les Égyptiens avaient voulu emballer leurs morts dans du papier cadeau. D'autres boîtes étaient ouvertes, exposant aux regards des formes voûtées et fripées, enveloppées de bandelettes sales et grises. C'était bizarre de penser que Mlle Pedicure avait jadis ressemblé à ça. Quoique... les jours de pluie et de mauvaise humeur, la ressemblance était assez frappante.

David se précipita dans la salle suivante. Logiquement, ce qu'il cherchait devait être exposé à part, dans une vitrine. Mais de combien de temps disposait-il ? Des centaines d'objets l'entouraient. Son regard survola des poupées, des jouets, des chats et des serpents momifiés, des jarres, des coupes, des bijoux... Là ! Il avait trouvé. Juste devant lui, une figurine bleue d'environ dix centimètres reposait entre six autres statuettes, allongée sur le dos comme pour un bain de soleil. David posa la main sur la vitre et contempla attentivement la petite poupée, avec ses cheveux noirs, son visage étroit et sa taille effilée. Pas de doute, c'était Mlle Pedicure. L'étiquette indiquait : poupée émaillée, XVIIIe dynastie, 1450 av. J.-C. Incroyable ! Le professeur d'anglais et d'histoire avait à peine changé en plus de trois mille ans... En fait, elle existait avant même l'invention de l'anglais et de l'histoire !

Soudain, au bout de la galerie, quelqu'un toussa. David se figea. Mais ce n'était qu'un gardien – en marche vers une salle de service de la fin du XXe siècle pour se faire une tasse de thé. David consulta sa montre. Un peu plus de onze heures. Il disposait de plus de temps qu'il ne croyait. Il sortit à nouveau l'épingle à cheveux et l'inséra doucement dans la serrure de la vitrine, cherchant la gâche. Quelques secondes plus tard, un petit déclic vint récompenser son habileté, et la vitre s'ouvrit. Avançant la main avec précaution, David saisit la statuette.

Il avait réussi. Le Graal Maudit était à lui.

Onze heures et demie. David sortit de la station de métro Baker Street par l'escalator et déboucha dans la rue. Cette fois, il n'avait pas réussi à trouver de taxi, et il n'y avait pas de chemin plus court pour rejoindre la cabine téléphonique de Regent's Park. En descendant Marylebone Road, puis en coupant à gauche par le musée de cire Mme Tussaud, il y serait en cinq minutes. La statuette était à l'abri dans sa poche, et il avait largement le temps.

Un vent glacé soufflait, abattant sur la rue une pluie fine. En passant devant le planétarium, David songea à Vincent. Où était-il ? Probablement dans le British Museum, errant à la recherche de la statuette, angoissé de sentir le temps filer. Même s'il découvrait l'énigme et la vitrine, pour lui c'était trop tard. Dommage. Mais le meilleur avait gagné.

Il n'y avait personne devant le planétarium. Même Marylebone Road, habituellement embouteillée, était presque déserte. Une moto roula dans une flaque d'eau et faillit éclabousser David. De l'autre côté de la rue, un autobus vide grilla un feu orange et tourna en direction de West End. David commença à longer le célèbre musée de cire. Son père l'y avait emmené une fois, mais la visite avait tourné court : « Ça manque de banquiers, ici ! » s'était exclamé M. Eliot. Et il était ressorti sans même jeter un coup d'œil au spectacle laser ou à la Chambre des Horreurs.

À cette heure tardive, le long bâtiment sans fenêtres était vide et silencieux. Et le trottoir, envahi dans la journée par les touristes et les marchands de glaces, luisait paisiblement sous la clarté des réverbères.

Le vent froid mordait le cou dénudé de David. Derrière lui, il entendit un craquement – du bois qui vole en éclats. Inconsciemment, il accéléra le pas.

La rue se prolongeait jusqu'à un carrefour, en face d'une église. Sur la gauche s'étendait Regent's Park : David l'apercevait, au-delà des réverbères, à la lisière des ténèbres. Au moment où il allait s'engager dans cette direction, quelque chose attira son attention, à une centaine de mètres derrière lui, du côté du musée de cire qu'il venait de dépasser. Un instant plus tôt, le trottoir était désert. Maintenant on distinguait une silhouette solitaire, titubante, sans doute un homme ivre. David scruta la rue en plissant les yeux. L'homme portait une sorte d'uniforme et des bottes, mais il était trop loin pour que David pût le distinguer avec netteté. Il décrivait des petits cercles, les bras écartés, les jambes raides. On aurait dit qu'il apprenait à marcher et à se tenir en équilibre.

David tourna au coin de la rue, faussant compagnie à l'ivrogne – en espérant que ce fût bien un ivrogne. Sans savoir pourquoi, il commençait à se sentir mal à l'aise. Pourtant, la statuette était dans sa poche, le British Museum loin derrière, et dans quelques minutes il serait de retour à Groosham Grange. Alors pourquoi s'inquiéter d'une lubie d'agent de police ou de veilleur de nuit, pris d'une subite envie de danser devant le musée de cire ?

Une avenue, puis un pont en dos d'âne et, soudain, David se retrouva hors de la ville. Regent's Park, obscur et désert, l'enveloppait, étouffant les derniers bruits de la circulation, le rejetant brutalement dans le passé. Le parc était en effet plus ancien que la cité qui l'entourait. Dernier vestige d'une époque où Londres n'était que bois et champs, Regent's Park résistait toujours à la pénétration du XXe siècle. David aurait pu aussi bien se croire dans l'Angleterre victorienne, à la fin du XIXe : aucune voiture dans les allées couvertes d'un goudron rouge ; quant aux réverbères en fer forgé, ils étaient sans doute alimentés au gaz. Quelque part dans la nuit, un chien hurla. David n'aurait pas été étonné d'entendre le cliquetis d'un fiacre tiré par des chevaux.

— Du calme...

Le son de sa propre voix le rassura. De nouveau il regarda sa montre. Minuit moins le quart. Il avait largement le temps. Comment avait-il pu se laisser perturber par un ivrogne ? David sourit et jeta un coup d'œil en arrière.

Le sourire mourut sur ses lèvres.

L'ivrogne l'avait suivi dans le parc. Il s'était arrêté sur le pont en dos d'âne, dans la lumière d'un réverbère. Il se tenait bien droit, au garde-à-vous, et son regard brillait. David distinguait chaque détail de sa tenue : les bottes brunes, le ceinturon, le baudrier qui lui barrait la poitrine, et une sorte de costume brun dont le pantalon bouffait sur les cuisses. David l'identifia aussitôt, avant même d'avoir vu la croix gammée noire sur le brassard rouge et blanc. Comment ne pas reconnaître la mèche noire qui tombait sur le front pâle et, bien sûr, la célèbre moustache ?

Adolf Hitler. Ou, plus exactement, la réplique en cire d'Adolf Hitler.

David se rappela la sensation de froid qu'il avait éprouvée en sortant du métro. L'air se refroidissait toujours quand on pratiquait la magie noire : plus noir était le maléfice, plus mordant était le froid. Pourtant David ne s'était pas méfié. Quant au craquement qu'il avait entendu, c'était sans doute la porte que la figure de cire avait enfoncée pour sortir du musée. Qui était l'auteur de ce sortilège ? Vincent, bien sûr. L'estomac noué, la bouche sèche, David observa l'Hitler de cire. Il recula et se heurta à la clôture. Une pensée atroce le saisit : Hitler était le premier. Combien d'autres allaient suivre ?

La réponse arriva une seconde plus tard. Tandis que Hitler reprenait sa marche inexorable, propulsant ses jambes en avant à angle droit, deux autres figures de cire surgirent derrière lui, en haut du pont. Mais David n'attendit pas de les voir de plus près pour savoir qui ils étaient. Trois mots résonnaient dans sa tête : Chambre des Horreurs. David essaya de se rappeler quels personnages étaient exposés dans cette section très particulière du musée de Mme Tussaud. Il avait le désagréable pressentiment qu'il risquait de les rencontrer d'un instant à l'autre.

David se mit à courir. Mais aussitôt il se rendit compte avec quel soin le piège avait été préparé.

Trois autres personnages de cire, sans doute entrés dans le parc d'un autre côté, le prenaient déjà à revers. L'un d'eux portait une chemise de nuit blanc sale, des galoches noires, et il tenait quelque chose dans ses mains. David comprit subitement : l'homme était une victime de la Révolution française et de la guillotine. Ce qu'il portait, c'était sa tête ! Derrière lui venaient deux prisonniers, Landru, le célèbre tueur de femmes au crâne chauve et à la barbe noire, et son compagnon, Gilles de Rais, le sanguinaire maréchal de France. David n'attendit pas de leur être présenté. Tout près sur sa droite, il y avait un portail qui n'était pas verrouillé. David le franchit en courant et s'enfonça dans la partie centrale du parc.

Là s'étendait une vaste pelouse au contour irrégulier, coincée entre des courts de tennis et un étang à l'eau stagnante, assez peu engageant. David fila vers les bosquets qui parsemaient la pelouse. Par chance, la nuit était profonde, opaque. Mais à l'instant même où il se jetait derrière le premier arbre, plaquant ses mains contre l'écorce rugueuse, les nuages s'écartèrent, et une énorme lune blanche troua la nuit comme un projecteur. Faisait-elle aussi partie du sortilège ? Vincent maîtrisait-il les éléments ?

Sous son faisceau blafard, le paysage s'était transformé. Il semblait sorti d'un cauchemar. Le cauchemar d'un fou, noir, blanc et gris. L'Hitler de cire avait déjà atteint le portail, suivi des deux assassins.

Seul le guillotiné de la Révolution française était resté en arrière. Peut-être avait-il trébuché sur une racine : sa tête lui avait échappé des mains et elle avait beau crier : « Par ici ! Par ici ! », le corps n'arrivait pas à la retrouver.

C'était bien le seul dont David n'avait rien à craindre. Une demi-douzaine d'autres figures de cire s'étaient déployées et fouillaient les bosquets. Certaines étaient plus horribles que d'autres. Il y avait là Gary Gilmore, l'Américain condamné à mort, mince dans son pantalon blanc, qui tenait encore devant son cœur la cible blanche sur laquelle avait tiré le peloton d'exécution. Juste derrière lui venait une femme en robe victorienne, atrocement poignardée : de sa plaie béante en pleine poitrine s'échappait un flot de sang (du sang de cire, se répétait David pour se rassurer...). Dans son dos, il entendit alors un effrayant gargouillement : une troisième figure de cire (victime d'une noyade) était en train d'émerger de l'étang.

Il était cerné. Il s'agrippa à l'arbre comme s'il espérait se fondre dedans. D'une seconde à l'autre, il serait débusqué.

— Le voilà, Ron ! cria quelqu'un.

Deux nouveaux personnages venaient de rejoindre les autres. Cette fois, David les reconnut immédiatement car il les avait vus au cinéma : Ron et Reginald Kray, les deux frères qui avaient terrorisé Londres dans les années soixante. Sans doute avaient-ils été remisés dans un grenier du musée, car leurs costumes étaient poussiéreux et la tête de Ron était posée à l'envers sur ses épaules. Ayant aperçu David, ils fonçaient droit sur lui.

— Coupe-lui la route, Reg !

— Ce qui est sûr, c'est que je vais lui couper quelque chose, Ron ! répondit le Reginald en cire en brandissant un objet.

Il pressa un bouton sur l'objet en question. Jaillissant de son poing comme une langue de serpent, une lame de vingt centimètres fendit le faisceau de la lune.

— À toi de jouer, Reg ! s'esclaffa l'autre en tournant son corps de façon que sa tête pût profiter du spectacle.

Le souffle rauque, David quitta son abri et s'élança au pas de course. Les figures de cire l'encerclaient, tels des somnambules ou d'horribles jouets mécaniques pris de folie. Il se sentait horriblement vulnérable dans la clarté de la lune, et pourtant il devait leur échapper, absolument ! Où était la cabine téléphonique ? Après un rapide calcul, il bifurqua dans ce qu'il espérait être la bonne direction.

Mais une silhouette se dressa devant lui et lui barra la route. Vêtu d'un costume gris démodé, le nez chaussé de lunettes rondes, l'homme tendit les mains devant lui, paumes ouvertes dans un geste apaisant, et dit :

— Tout va bien, je suis docteur.

— Docteur ? haleta David.

— Oui. Docteur Petiot !

David lança le poing en avant et frappa l'homme juste sous le nez. Le docteur Petiot poussa un cri et tomba à la renverse, lâchant la seringue hypodermique avec laquelle il s'apprêtait à lui faire une injection. David reprit sa course. Dans son dos, Hitler aboyait des ordres dans un allemand hystérique et incompréhensible. Avec un peu de chance, les autres ne comprendraient pas mieux.

La pelouse s'incurvait derrière les courts de tennis. Au-delà elle était bordée d'un bouquet d'arbres et d'arbustes. David plongea à couvert, ravi d'échapper au phare blanc de la lune. Apparemment, l'obscurité déconcerta les figures de cire : elles restèrent en arrière, se cognant les unes aux autres, comme si elles craignaient de franchir la frontière entre la lumière et l'ombre. Apercevant une grille en fer forgé, David se précipita vers elle et s'y agrippa des deux mains.

Le cœur battant à tout rompre, il essaya de reprendre ses esprits. Puisqu'ils ne l'avaient pas attrapé, il avait encore le temps d'atteindre la cabine téléphonique et de rentrer à Groosham Grange. Il tâta la poche gauche de son pantalon. La statuette s'y trouvait toujours...

Vincent ! Il murmura son nom, les dents serrées. Tout cela ne pouvait être que l'œuvre de son rival. Vincent s'était débrouillé pour le suivre depuis le British Museum, et il avait lancé un sortilège sur Marylebone Road. Il avait triché. Il avait transgressé la règle interdisant d'utiliser ses pouvoirs magiques. Mais, pire encore, David ne pouvait pas se défendre. Comment faire disparaître les figures de cire ? Et, à supposer qu'il puisse se servir de ses pouvoirs, ne risquait-il pas d'être disqualifié ?

David serrait les barreaux tellement fort que le métal lui mordait la chair. Il jeta un coup d'œil au-delà de la grille, et pour la première fois depuis qu'il était entré dans le parc, il se remit à espérer. La cabine téléphonique était en vue et libre d'accès. Minuit moins dix. Tout ce qu'il avait à faire, c'était de passer par-dessus la grille et de traverser une autre pelouse. Et là, il serait sauvé.

Il jeta un dernier coup d'œil en arrière. Hitler à leur tête, les figures de cire, rassemblées en demi-cercle, s'apprêtaient à fondre sur lui. Deux seulement étaient restées en arrière : elles jouaient au tennis avec la tête du Français guillotiné, sans se soucier de ses protestations. Mais Reginald Kray était toujours là, armé de son couteau, et son frère aussi, brandissant un pied-de-biche. Quant au docteur Petiot, il avait sorti deux autres seringues et un scalpel... David ignorait si leurs yeux en verre leur permettaient de voir dans l'obscurité, néanmoins il était sûr d'une chose : ils approchaient lentement mais sûrement...

Vite ! David prit appui sur la grille et s'élança pour sauter par-dessus. Trop tard. Du coin de l'œil, il perçut un mouvement. Quelque chose le frappa en pleine figure, puis on le tira en arrière. L'espace d'un instant, tout tournoya autour de lui. Quand il tomba sur le dos, le choc lui coupa le souffle. Quelqu'un se pencha au-dessus de lui.

— Hé, vous autres ! Je l'ai eu ! Venez ! Il est là !

La voix était perçante et surexcitée. Il y eut des bruissements de feuillage, des craquements de brindilles, et une silhouette massive, vêtue de bleu, apparut. David essaya de se lever, sans résultat. C'était une femme, habillée d'une robe bouffante en velours et soie, qui la faisait paraître énorme. Couronnant sa tête, une tiare en argent sertie de diamants étincelait dans la nuit. David la reconnut à sa tignasse rouquine et ses grosses joues, que le plaisir de la victoire faisait briller. C'était Sarah Ferguson, la duchesse d'York. Elle l'avait assommé avec son sac à main.

— Bravo, Votre Altesse ! la félicita le docteur Petiot. Il n'avait plus de nez à cause du coup que lui avait assené David. Et il avait perdu un œil.

— *Ja. Sehr gut, Fraulein Fergie*, acquiesça Hitler.

David sortit la statuette de sa poche et essaya de se relever. Le parc se mit de nouveau à tournoyer autour de lui, de plus en plus vite. Il voulut parler, articuler une formule magique capable de le tirer de là, mais sa gorge était sèche et les mots ne sortaient pas. Il regarda les visages sans vie qui le fixaient d'un air mauvais et leva une main. Alors la duchesse le frappa pour la seconde fois, et il perdit connaissance.

8

La tour Est

— Il ment, dit David. C'est moi qui ai découvert la statuette. Il me l'a volée. Et pour me la voler, il a utilisé ses pouvoirs magiques.

David se trouvait dans le bureau de M. Kilgraw, à quelques pas de Vincent. Ses vêtements étaient débraillés et sur la joue, là où le sac l'avait frappé, il avait un gros hématome. Dans un coin de la pièce, le menton dans une main, M. Helliwell observait les deux garçons en silence, tandis que, assis derrière son bureau, M. Kilgraw sirotait un liquide rouge – ce n'était pas du vin, David en était sûr. La statuette trônait sur la table. C'était humiliant pour David de la revoir là. Il aurait voulu la casser en deux. Et aussi casser Vincent...

— Je ne nie pas que David ait trouvé la statuette, dit Vincent en rejetant sa mèche blonde en arrière d'un mouvement de tête. Je vous l'ai expliqué. Je croyais avoir perdu. Je revenais vers la cabine téléphonique quand j'ai vu David étendu dans l'herbe, la statuette à côté de lui. J'ai cru qu'il avait trébuché sur quelque chose et qu'il s'était assommé en tombant. Alors j'ai ramassé la statuette. Mais je n'ai aperçu aucun personnage en cire.

— Tu ne les as pas aperçus ! ! ! s'écria David en serrant les poings. C'est toi qui les as envoyés !

— Je n'ai rien à voir là-dedans.

— Alors qui ?

— Ça suffit, trancha M. Kilgraw en leur imposant le silence d'un geste de la main.

Sa voix était à peine plus forte qu'un murmure. En fait le directeur adjoint élevait rarement la voix. La rumeur disait que, la dernière fois qu'il l'avait élevée, son interlocuteur avait perdu la raison. M. Kilgraw se laissa aller contre le dossier de son fauteuil. Étant un vampire, il n'avait pas d'ombre, mais son visage se fondait dans l'obscurité.

— L'épreuve est terminée, décréta-t-il. Vincent a gagné.

— Mais, monsieur..., protesta David.

— Non ! C'était un murmure, mais tranchant comme un rasoir. M. Kilgraw pointa l'index. « Tu parles de tricherie, David, pourtant, il y a quelques jours, tu as toi-même été surpris en train de voler le questionnaire de l'examen.

— C'était Vincent. Il m'a tendu un piège.

— Je n'y suis pour rien, se défendit Vincent.

— Inutile de prolonger cette discussion, coupa M. Kilgraw. Si Vincent a triché ce soir, tu avais triché avant, David. Mais Vincent a été le meilleur puisqu'il n'a pas été découvert. Personnellement, je déteste qu'on triche. C'est si mesquin. Quoi qu'il en soit, Vincent a pris l'avantage sur toi, David. Il a rapporté la statuette ici, dans le temps imparti. L'épreuve était équitable. Qu'en dites-vous, monsieur Helliwell ? »

Le professeur de vaudou haussa les épaules.

— Je le regrette, David, mais je dois en convenir.

— Alors, l'affaire est close, conclut M. Kilgraw. Vincent King prend la première place du classement. Il mérite de recevoir le Graal Maudit.

— Merci, monsieur, répondit Vincent en jetant un coup d'œil à David. Crois-moi, David, je ne voulais pas que les choses se passent comme ça.

— Tu parles ! Va au diable...

— Ne dis jamais ça, tant que tu n'y es pas allé toi-même ! le coupa M. Kilgraw, laissant percer sa colère. Tout au long de cette dernière épreuve, tu t'es montré très décevant, David. Tu as déclenché une bagarre dans un couloir. Tu as tenté de dérober le questionnaire de l'examen avec une maladresse pitoyable. Et, le lendemain, tu es venu pleurnicher et te plaindre parce que tu n'avais pas répondu à toutes les questions ! Avant, tu étais notre élève le plus prometteur, mais je m'aperçois que nous nous trompions sur ton compte. Tu n'es rien ! Je commence même à me demander si tu mérites de rester à Groosham Grange. Tu ferais bien d'y réfléchir. Maintenant, dehors ! Je ne veux plus te voir.

David ouvrit la bouche pour protester, mais il n'y avait plus rien à dire. Son front brûlait et il se sentait rougir. Il jeta un dernier regard à Vincent, qui faisait son possible pour détourner les yeux, et il quitta la pièce.

Deux heures plus tard, David était couché dans son lit, les yeux grands ouverts. Impossible de dormir. Il était au bord des larmes. Des larmes de colère autant que de chagrin. Tant de choses injustes lui étaient arrivées. La bagarre, l'examen, l'épreuve de sélection finale. Depuis le début, tout s'était ligué contre lui. Et finalement, il avait perdu. Quitter Groosham Grange. Cette pensée le hantait. Pourquoi pas ? M. Kilgraw n'avait pas caché que sa présence à l'école était devenue indésirable. À quoi bon rester dans un endroit où on le traitait si mal ? Plutôt que de faire une carrière de sorcier, il deviendrait banquier, comme son père. Après tout, un banquier pouvait provoquer beaucoup plus de dégâts qu'un sorcier.

Cependant, quelque chose lui disait de ne pas abandonner. En dépit de M. Kilgraw, en dépit de Vincent, en dépit de tout. De l'autre côté du dortoir, Vincent se retourna dans son sommeil et tira la couverture sur lui. Que savait-il exactement de Vincent ? Depuis le premier jour, ils se livraient une compétition impitoyable, et jamais David ne s'était interrogé sur lui, sur sa vie, sur ses parents. Au fait, comment en était-il venu à se méfier de lui ? Ah oui, la tour Est. Il avait surpris Vincent sortant de la tour interdite, près du cimetière. Un mystère entourait cette bâtisse et Gregor en connaissait la clé. Voilà pourquoi il avait empêché David d'y entrer.

David repoussa les couvertures et se leva. Trois heures du matin. La nuit était froide et brumeuse. C'était une folie de sortir, mais il n'avait pas sommeil, et puis n'était-ce pas sa dernière chance ? Si Vincent mijotait quelque chose, son secret se cachait dans la tour Est. Et si David tenait à le percer à jour, c'était maintenant ou jamais.

L'air était glacé. Tandis qu'il traversait à pas de loup le cimetière de l'école, David voyait son souffle se givrer et rester en suspension près de ses lèvres. Au loin, une chouette hulula. Dévalant une pierre tombale, une grosse araignée disparut dans la terre puis quelque chose bougea à la lisière du cimetière. David se figea. Mais ce n'était qu'un fantôme, abandonnant sa sépulture pour aller jouer les revenants. Il n'avait pas vu David. Lentement, celui-ci se remit en route.

Bientôt la tour Est se dressa devant lui. David leva les yeux vers le mur de briques, l'entrelacs de lierre qui l'étreignait, les fenêtres vides et, tout en haut, les créneaux éboulés. En quoi cette ruine pouvait intéresser Vincent ? Une tour dont l'accès était interdit et réputé dangereux... Il fallait avoir une sérieuse raison d'y aller.

Résolu à suivre les traces de Vincent, David s'assura une dernière fois que personne ne rôdait dans les parages et s'élança vers la tour Est.

On y entrait par une porte courbe en chêne massif, de trente centimètres d'épaisseur au moins, plus solide encore que l'arbre dans lequel elle était taillée. David était certain de la trouver fermée, et pourtant, à peine eut-il posé les mains dessus que les gonds en fer émirent un grincement épouvantable. Un grincement à vous glacer les sangs. L'espace d'un instant, il fut tenté de retourner se coucher. Mais il était trop tard, il devait en avoir le cœur net. Il entra.

Une faible clarté lunaire perçait entre les briques disjointes, mais au centre, c'était le trou noir. David n'avait ni torche ni boîte d'allumettes : il n'en avait pas besoin. Fermant les yeux, il marmonna la formule mise au point par un magicien du XVIe siècle dénommé John Donne. Quand il rouvrit les yeux, une lueur verdâtre éclairait légèrement l'intérieur de la tour, suffisamment pour en distinguer les contours.

Le vestibule était vide. Entre les plâtras qui jonchaient le sol poussaient des orties et des mauvaises herbes. Dans l'air flottait une odeur imperceptible, à la fois familière et indéfinissable. Un bruit claqua soudain en haut de la tour. Une sorte de battement accompagné d'un couinement aigu. Devant David, un escalier de pierre en colimaçon l'invitait à monter. Il savait que la bâtisse tout entière était condamnée et qu'à chaque instant une dalle risquait de s'effondrer et de l'écraser, mais c'était l'unique voie d'accès à la tour. Il n'avait pas le choix.

David commença à gravir les marches en les comptant machinalement. C'est seulement à la deux centième qu'il eut conscience d'avoir pris de la hauteur. La tour Est mesurant plus de quatre-vingt-dix mètres, l'escalier, accroché à la paroi de façon précaire, semblait interminable. David avait le tournis lorsqu'il arriva enfin au sommet. Pris d'une inspiration subite, il jeta une pièce de monnaie tirée du fond de sa poche au centre de l'escalier.

— Un... deux... trois... quatre... cinq...

De longues secondes s'égrenèrent avant que la pièce tinte sur le dallage du rez-de-chaussée.

Quelque chose bougea, puis il y eut un bruissement, comme deux feuilles de carton frottées l'une contre l'autre. Pas à pas, pour tester la solidité du sol, David s'aventura dans la pièce haute de la tour. Il n'avait pas pris le temps d'enfiler de chaussettes et l'air froid lui glaçait les pieds. À nouveau il entendit l'étrange couinement aigu. Un animal, sans doute. Mais lequel ?

La pièce était parfaitement circulaire. Le mur s'était effondré entre les deux fenêtres, et il ne restait plus qu'une ouverture béante aux contours irréguliers. À l'opposé, une longue table était poussée contre la paroi. Sur la table : trois paniers carrés, un livre ouvert, un papier, deux bougies, deux plumes d'oie et une liasse de feuilles.

David murmura trois mots. Les bougies s'allumèrent.

Dès lors, ce fut plus facile. Il s'approcha de la table et souleva un des paniers. Il y eut un battement à l'intérieur, derrière la petite porte grillagée, fermée d'un fil de fer. C'était une chauve-souris, affolée par la lumière, qui voletait en tous sens.

Que faisait donc Vincent avec des chauves-souris ? David reposa la cage pour s'approcher du livre. Il l'examina avec attention. C'était un manuel d'exercices, dont chaque page était couverte d'une écriture si fine et si serrée qu'elle en devenait illisible. Tournant les pages, il tomba sur quelques lignes qu'il pouvait déchiffrer. Un poème, sans doute, qui n'aurait pas retenu son attention sans les quatre premiers mots :

Porte le Graal Maudit dans
l'ombre de saint Augustin
(où quatre chevaliers occirent un saint homme)
et Groosham Grange tombera en poussière.

Porte le Graal Maudit. Vincent avait donc une autre bonne raison de vouloir le gagner ! Mais où devait-il le porter ? David se concentra sur le texte en s'efforçant de réveiller ses souvenirs. Quatre chevaliers... un saint homme... Saint Augustin. Et le dernier vers : « Groosham Grange tombera en poussière. »

— C'est Canterbury, murmura David. La cathédrale de Canterbury. Si on porte le Graal Maudit à Canterbury... dans l'ombre... Groosham Grange sera anéantie.

Soudain tout s'éclairait. Vincent voulait détruire l'école. Mais pour mettre la main sur le Graal, il devait d'abord se débarrasser de David. Il y était brillamment arrivé, d'abord en l'appâtant, ensuite en lui tendant un piège, et enfin en trichant. Dans trois jours, Vincent recevrait le Graal Maudit. Et après ? Il trouverait une astuce pour le faire sortir de l'île et l'emporter à Canterbury. Quand tout le monde s'en apercevrait, il serait trop tard.

Mais que venaient faire les chauves-souris là-dedans ?

David reposa le livre et considéra la pile de papiers. Du papier, des bougies, des chauves-souris. Qu'obtenait-on en les additionnant ? Le cerveau de David était en ébullition. Des bougies pour voir clair. Du papier pour écrire. Des chauves-souris pour...

— Voyager ? Des chauves-souris voyageuses... Mais oui ! Pourquoi pas ? Les chauves-souris étaient plus fiables que les pigeons voyageurs. Et elles n'avaient pas peur du noir.

Sans hésiter, David revint à la pile de papiers et

sortit un crayon noir de sa poche. C'était un truc si vieux qu'il avait presque honte de l'utiliser, mais c'était efficace. Il crayonna avec soin la première feuille de la pile. Une fois colorée de gris, il l'approcha de la flamme de la bougie. Le principe était simple : si on avait écrit sur la feuille qui était juste au-dessus, celle que colorait David devait en avoir conservé la marque en creux. Le crayonnage superficiel ferait ainsi apparaître en blanc les lignes écrites, et David pourrait les lire.

Le truc fonctionna. David parvint à déchiffrer quatre lignes, de la même écriture que le livre.

Rapport à l'Évêque Bletchley.

David Eliot est hors de course. Le Graal sera décerné le jour de la remise des prix. Le voyage se déroulera comme prévu. Je suis confiant. Dans quelques jours, Groosham Grange n'existera plus.

Le message n'était pas signé.

Mais quelle importance ? David en savait suffisamment désormais. Vincent travaillait pour un certain évêque Bletchley. Il voulait le Graal Maudit, non pas parce qu'il désirait être le meilleur élève de l'école, mais parce qu'il espérait détruire celle-ci. Une seule personne s'était dressée en travers de sa route : David. Mais Vincent s'était montré le plus intelligent. Non seulement il avait gagné le Graal, mais il avait totalement neutralisé son adversaire. Même si David montrait le livre, qui le croirait ?

David avait l'impression de nager en plein brouillard. Il se pencha vers l'extérieur et scruta la nuit. Où était l'évêque Bletchley, en ce moment ? Que faisait-il ? Qu'avait-il contre l'école ? Entre David et la nuit, il n'y avait rien. La fenêtre cassée gisait sur le sol, laissant place à un trou béant. L'air froid lui picotait les joues. Il essaya d'imaginer le trajet des chauves-souris. Jusqu'où volaient-elles ? Quels messages avaient-elles portés ?

David aurait juré qu'il était seul en haut de la tour. Il n'avait rien vu ni entendu. Aussi fut-il totalement pris au dépourvu lorsque, soudain, deux mains s'abattirent dans son dos. Il poussa un gémissement. Pendant une ou deux secondes, il battit l'air de ses bras. Cria. Puis il bascula en avant dans la nuit.

Il était mort. Ou il le serait bientôt : une chute de quatre-vingt-dix mètres, ça ne pardonne pas. Le visage fouetté par le vent, il voyait tout tournoyer autour de lui. Avec un dernier cri de désespoir, il tendit les mains en avant, comme s'il voulait agripper les ténèbres. Et par miracle, quelque chose se présenta : ses doigts se refermèrent sur une branche de lierre. Il continua de tomber, entraînant le lierre dans sa chute. Mais plus il tombait, plus le lierre devenait dense et résistant. Il supporta son poids quand ses bras et ses jambes s'y emmêlèrent. D'autres tiges lui enlacèrent la poitrine et la taille comme des lianes. À cinq mètres à peine du sol, sa chute fut stoppée. Tel un élastique, le lierre se rétracta et le plaqua brutalement contre la paroi. David faillit hurler de douleur. Il avait l'impression que sa colonne vertébrale s'était fracassée. Mais, quelques secondes plus tard, il se retrouva suspendu au-dessus du sol. Il ne tombait plus. Il était sauvé.

Il lui fallut une heure pour s'extirper des tentacules du lierre et descendre les quelques mètres qui le séparaient de la terre ferme. Il avait mal au cœur et ses jambes flageolaient. Après avoir pris une profonde inspiration, il leva les yeux vers la fenêtre d'où on l'avait poussé : elle était terriblement haute, presque hors de vue. C'était un miracle qu'il eût réchappé de cet accident. Subitement, il eut envie de vomir...

Comment Vincent avait-il pu le suivre là-haut, alors qu'il dormait encore quand David était sorti ? Se pouvait-il qu'il y eût quelqu'un d'autre dans la tour ? David chassa cette idée de son esprit. Non, ce ne pouvait être que Vincent.

Il récapitula ce qu'il avait appris.

Vincent voulait le Graal Maudit parce qu'il avait l'intention de détruire Groosham Grange. Tout cela, pour le compte d'un certain évêque Bletchley. Il allait faire sortir le Graal de l'île le jour de la remise des prix, le Graal serait emporté à Canterbury, et une fois le calice dans l'ombre de la cathédrale, Groosham Grange serait anéantie.

David était le seul à connaître la vérité. Et aussi le seul que personne ne voudrait croire. Ça faisait partie du plan. Vincent l'avait si bien discrédité que personne n'accepterait de l'écouter.

Les premières lueurs de l'aube percèrent la brume. David s'était presque disloqué l'épaule en tombant et il avait l'impression que son dos était en lambeaux.

Cette nuit, il avait perdu le Graal Maudit. Et il risquait d'être renvoyé de Groosham Grange. Mais, au moins, il avait découvert ce qui se tramait. Il savait aussi qu'il était le seul capable de sauver l'école.

Le corps meurtri, traînant la jambe et soutenant son bras endolori, il regagna le dortoir.

9

Remise des prix

La Rolls Royce orange filait sur l'autoroute à cent cinquante kilomètres à l'heure, sans se soucier des autres voitures qui klaxonnaient, faisaient des embardées ou percutaient le bas-côté pour l'éviter.

— Ne devrais-tu pas rouler sur la file de *gauche,* mon chéri ? s'enquit Mme Eliot.

— Ne dis pas de bêtises ! rétorqua M. Eliot en l'aiguillonnant avec l'allume-cigare. Nous faisons partie de l'Europe, maintenant. Je roule à droite en France et en Suisse. Je ne vois pas pourquoi je n'en ferais pas autant ici !

Mme Eliot battit des faux cils en voyant un camion remorque tracer un Z au milieu de la route, le klaxon hurlant à plein tube.

— Je crois que je vais être malade, gémit-elle.

— Alors, mets la tête à la fenêtre ! aboya M. Eliot. Et, cette fois, n'oublie pas de baisser la vitre.

Edward et Eileen Eliot roulaient en direction de Norfolk, dans leur Rolls Royce spécialement aménagée. (M. Eliot l'avait choisie orange pour aller avec le macaron de grand invalide collé sur le pare-brise.) M. Eliot ne pouvait pas marcher. Son handicap aurait suscité la pitié s'il n'avait pas toujours détesté marcher : il préférait de beaucoup se déplacer en fauteuil roulant. Edward Eliot était un homme petit et rond, avec plus de poils dans les narines que sur le crâne. Eileen, sa femme, mesurait trente centimètres de plus que lui, mais elle était affublée de tellement d'attributs factices (cheveux, dents, ongles, cils) que l'on devinait à peine à quoi elle ressemblait vraiment.

M. et Mme Eliot n'étaient pas seuls dans la voiture. Une petite femme, toute ratatinée dans sa robe en coton beige, se tassait sur la banquette arrière. Elle avait le teint très pâle, les dents de travers, et du crin de cheval à la place des cheveux. Mildred Eliot était la sœur de M. Eliot. Après onze ans de mariage, son mari s'était récemment résigné à mourir d'ennui. Pendant les obsèques, sa veuve n'avait pas cessé de bavarder, jusqu'à ce qu'un croque-mort la fasse taire d'un coup de pelle.

— Qu'est-ce que c'est que ce drôle de bruit, Edward ? demanda-t-elle alors que la voiture quittait l'autoroute, empruntait un sens interdit et grillait un feu rouge.

— Quel bruit ?

— Ce doit être le moteur, pouffa Mildred d'un air dédaigneux. Personnellement, je n'ai aucune confiance dans les voitures anglaises, poursuivit-elle de sa petite voix geignarde. Elles marchent mal. Tu aurais mieux fait d'acheter une de ces merveilleuses voitures japonaises, Edward. Les Japonais savent fabriquer des voitures, eux, au moins. Pourquoi...

— Les voitures anglaises marchent mal ? s'étrangla M. Eliot en braquant violemment le volant (ce qui eut pour effet de projeter la voiture sur le trottoir). Je te rappelle que c'est d'une Rolls Royce dont tu parles ! Tu sais combien coûte une Rolls Royce ? Des millions ! Lorsque j'ai acheté ma première Rolls, je me suis privé de manger pendant un mois et je n'ai pas eu les moyens d'acheter de l'essence pendant trois ans !

— Moi, je trouve que ça marche très bien, déclara Mme Eliot.

En guise de démonstration, elle fourra son index dans l'allume-cigares. Il y eut une étincelle, suivie d'un court-circuit sur le tableau de bord : Mme Eliot s'était électrocutée.

— Les Japonais seraient incapables de fabriquer une Rolls Royce, reprit M. Eliot en débranchant sa femme. Ils ne savent même pas dire « Rolls Royce » !

Il mit le pied au plancher. Il avait dû prendre le

mauvais chemin car il fonçait maintenant sur un passage piétonnier. Femmes et enfants se jetaient à l'abri derrière des bacs de fleurs.

— Qu'est-ce que c'est que cette route ? pesta M. Eliot.

— Les Japonais ont des routes magnifiques, dit Mildred. Et des trains rapides comme des flèches.

— Tu ne vas pas tarder à en recevoir une, de flèche, grommela son frère.

Il écrasa la pédale d'accélérateur. La Rolls Royce bondit en travers de la chaussée, traversa un petit parc, et reprit la route de Norfolk.

Deux heures plus tard, ils étaient arrivés.

L'école étant inaccessible en voiture – même en Rolls Royce... –, la dernière partie du trajet s'effectua en bateau. M. Eliot quitta sa Rolls et, assis dans son fauteuil roulant, il s'élança sur la jetée en bois qui s'avançait dangereusement au-dessus de l'eau. Là les attendaient un vieux chalutier et un non moins vieux marin.

À la vue de M. Eliot, il se leva de sa chaise.

— Vous êtes des parents d'élèves ?

M. Eliot examina l'homme d'un air de dégoût. Avec sa barbe noire et son anneau à l'oreille, il paraissait sorti tout droit d'un film de pirates.

— Oui, répondit M. Eliot. Vous pouvez nous emmener là-bas ?

— Sûr que je peux. Et je vous ramènerai. Je fais ça à longueur de journée.

Puis il cracha vigoureusement et ajouta :

— Les parents ! Je me demande bien à quoi ça sert !

— Quel est votre nom ? demanda M. Eliot.

— Baindesang. Capitaine Baindesang, répondit l'homme qui, d'un coup, se mit à loucher : Et ça, c'est votre ravissante épouse, p'tet bien ?

M. Eliot jeta un coup d'œil à Mildred que son énorme sac à main dissimulait à moitié.

— Ce n'est pas ma femme et elle n'est pas ravissante, répliqua M. Eliot. Ma femme est sous la voiture.

— Ça y est ! Je l'ai réparée ! s'écria à ce moment Eileen Eliot en se redressant.

Sa tête heurta le tuyau d'échappement avec un bruit sourd. Couverte de cambouis des pieds à la tête, elle serrait une clef dans sa main et une autre entre les dents.

— Tu as dû casser un cylindre en roulant sur le cycliste, tout à l'heure, expliqua-t-elle en rejoignant les autres sur la jetée.

— Fabrication anglaise, commenta perfidement Mildred à mi-voix.

Arrachant une clef à sa femme, M. Eliot frappa sa sœur avec, et conclut :

— Maintenant, montons sur ce bateau. »

Quelques minutes plus tard, le capitaine Baindesang larguait les amarres et le chalutier mettait le cap sur l'île, crachotant et vomissant de la fumée noire. En observant le capitaine assis à la barre,

M. Eliot fut surpris par l'éclat de ses mains. Des mains de fer.

— Aluminium ! s'exclama Baindesang en remarquant le regard du banquier posé sur lui.

Il frappa ses mains l'une contre l'autre, produisant ainsi un étonnant bruit métallique.

— J'ai eu les mains arrachées, il y a un an. Maintenant elles servent de nourriture pour les crabes. Les garçons m'ont fabriqué celles-ci dans un atelier de métallurgie. Jolies, hein ?

— Ravissantes, acquiesça Mme Eliot avec un faible sourire.

La brume légère stagnant à la surface de l'eau se dissipa soudain devant le bateau, qui avançait en haletant comme un asthmatique. Et les falaises à pic de l'île du Crâne apparurent, au milieu de noirs rochers aiguisés sur lesquels les vagues venaient se briser. Le chalutier accosta le long d'un ponton. Puis Gregor, grimaçant et riant sous cape, les conduisit en voiture le long d'un chemin escarpé – le chemin de l'école.

— Je ne suis pas sûre d'apprécier beaucoup les responsables de cet établissement, remarqua Mme Eliot. Après tout, tu paies des sommes folles pour la pension de David, Edward.

— Rappelle-moi d'en parler au directeur, dit M. Eliot.

— D'accord. Mais surtout n'oublie pas d'en parler au directeur.

— Pas maintenant, très chère, soupira M. Eliot en cognant sa femme derrière l'oreille.

La voiture s'arrêta. Mildred en descendit en poussant un petit cri.

— Qu'y a-t-il ? s'enquit M. Eliot. Elle s'est fait piquer par une guêpe ?

— C'est David ! s'exclama Mildred en levant les deux bras en l'air. Oh, David ! C'est à peine si je t'ai reconnu, roucoula-t-elle en se frappant mollement les joues des deux mains. Tu as tellement grandi ! Et grossi ! Et tes cheveux sont si longs. Tu as énormément changé !

— C'est sans doute parce que je ne suis pas David, répondit le garçon à qui elle parlait. David est là-bas...

— Oh !...

Pendant ce temps, on avait aidé M. Eliot à descendre de voiture. Eileen et lui contemplaient l'école d'un air perplexe. Malgré le soleil éblouissant, malgré les banderoles tendues pour l'occasion et la grande tente où il était prévu de servir les rafraîchissements, la bâtisse était lugubre.

David s'approcha de ses parents.

— Bonjour, père. Bonjour, mère. Bonjour, tante Mildred.

M. Eliot dévisagea son fils d'un œil critique.

— Combien de prix as-tu remportés ?

— Aucun, malheureusement, répondit David avec un soupir.

— Aucun ? explosa M. Eliot. Dans ce cas, tout

le monde en voiture. Nous rentrons immédiatement.

— Mais nous venons à peine d'arriver, protesta sa femme.

M. Eliot lui roula sur le pied.

— Aucune importance. Nous repartons tout de suite. Tous les ans je remportais un prix, lorsque j'étais au collège de Beton. J'ai eu le prix d'Histoire, de Géographie, de Géométrie, de Français. J'ai même gagné des prix pour avoir gagné des prix ! Si je n'avais rien eu, mon père m'aurait découpé au scalpel pour me confisquer un rein !

M. Eliot était devenu rouge pivoine. Le visage tordu par un rictus, il paraissait respirer avec difficulté. Mme Eliot jeta un regard attristé à son fils.

— Tu ne devrais pas contrarier ton père, David. C'est son troisième infarctus de la semaine, dit-elle en fouillant dans son sac.

— Désolé, murmura David.

— Ce n'est pas grave. Je dois avoir ses pilules quelque part.

Gregor étant parti chercher d'autres parents d'élèves au débarcadère, ils ne pouvaient plus faire demi-tour. Heureusement pour David, c'est le moment que choisit M. Helliwell pour venir à leur rencontre. M. Eliot se calma aussitôt.

— Vous devez être très fiers de votre fils, dit M. Helliwell.

— Pourquoi ?

— C'est un bon élève.

M. Helliwell se présenta comme le professeur de sociologie. Tant que les parents d'élèves étaient sur l'île, personne ne devait faire la moindre allusion à la magie noire. Bien sûr, tous les accessoires étaient dissimulés – crânes, chandeliers à cinq branches, baguettes, cercles magiques, etc.

— Il n'a pas eu de chance, il est passé à côté du prix. Mais à part ça, il a fait une très bonne année. Je suis sûr qu'il aura un excellent carnet.

Malgré lui, David fut reconnaissant au professeur de ses paroles. Mais il était incapable de soutenir son regard : le souvenir de l'épreuve du British Museum et de ce qui avait suivi était encore trop douloureux.

— Vous désirez peut-être que je vous fasse faire le tour de l'école ? proposa M. Helliwell.

— Le tour seulement ? On ne peut pas aller à l'intérieur ? dit Mme Eliot.

— C'est ce qu'il veut dire, espèce d'idiote, aboya M. Eliot.

— Par ici.

M. Helliwell souriait. Ses dents semblaient d'autant plus blanches qu'elles tranchaient sur sa peau noire. Il fit un clin d'œil à David et commença à pousser le fauteuil roulant, suivi d'Eileen et Mildred Eliot.

— Ils ont des écoles beaucoup plus modernes, à Tokyo, dit Mildred en serrant son sac volumineux sous son bras. Les Japonais ont un fabuleux système d'éducation...

David les vit entrer dans l'école. À son grand soulagement, ils l'avaient complètement oublié. Enfin, il allait pouvoir prendre le temps de réfléchir.

Il y avait environ trente-cinq familles sur l'île, soit plus de quatre-vingts personnes : parents, oncles, tantes et amis, tous endimanchés. Les femmes en chapeau, les hommes souriants et tirés à quatre épingles. Dans dix minutes, ils seraient tous rassemblés sous la grande tente, M. Kilgraw prononcerait un discours et Vincent recevrait de ses mains le Graal Maudit. À cet instant seulement, il l'aurait pour lui seul. À cet instant seulement, il pourrait le faire sortir de l'île. À cet instant... ou jamais.

Car là était le problème : faire sortir le Graal de l'île. Il n'existait qu'un seul moyen : le bateau du capitaine Baindesang, mais il était étroitement surveillé depuis que David l'avait volé un an plus tôt, jour pour jour[1]. Peut-être, grâce aux nombreux visiteurs, Vincent allait-il trouver un autre moyen de faire sortir le Graal...

David avait été très surpris d'apprendre que les parents de Vincent n'assistaient pas à la remise des prix. D'autant plus que leur fils avait remporté la plus haute distinction. Est-ce que cela faisait partie du plan ? Vincent connaissait-il quelqu'un dans cette foule, un faux oncle ou une fausse tante, ou l'évêque Bletchley, venu en personne chercher le Graal ? Il y avait tellement de monde sur l'île qu'il ne serait pas difficile de frauder.

---

1. Épisode décrit dans *L'île du Crâne.*

L'ennui, c'est que David ne savait pas à quoi ressemblait l'évêque. Ils étaient si nombreux, les pères aux cheveux blancs qui se donnaient des airs de petit saint. Bletchley pouvait être n'importe lequel d'entre eux. David jeta un coup d'œil vers la tente. Vincent, très séduisant dans son blazer bleu et son pantalon blanc, se tenait à côté de M. Leloup. Le professeur le présentait à un groupe de parents, en vantant ses mérites, bien évidemment. David réprima un mouvement de jalousie. Enviait-il Vincent ? Et si tout le problème venait de là, depuis le début ?

— Tu as remarqué quelque chose, David ? demanda Jill en lui prenant le bras.

David lui avait tout raconté le lendemain de sa chute de la tour. Elle était sa meilleure amie. Qui d'autre l'aurait cru ? Il va sans dire que la convaincre n'avait pas été une mince affaire. Ils étaient retournés ensemble dans la tour Est mais, bien sûr, papier, livre, chauve-souris... toutes les preuves s'étaient envolées ! Jill, d'abord sceptique, avait finalement consenti à l'aider.

— Non, je n'ai rien remarqué, dit David en secouant la tête. Tout est normal. Mais je sais que ça va se passer aujourd'hui, Jill. Et bientôt...

— Tu ferais peut-être mieux d'aller trouver M. Kilgraw.

— Pour lui dire quoi ? Il ne m'écouterait pas.

— Attention ! Je crois que tes parents reviennent.

— Tu veux que je te les présente ?

— Non merci, répondit Jill en s'éloignant.

Mais elle s'arrêta au bout de quelques pas pour ajouter :

— Ne t'inquiète pas, David. J'ai l'œil sur Vincent.

Non loin de là, Vincent tourna la tête dans leur direction. Avait-il surpris les paroles de Jill ?

M. Helliwell rejoignit David, poussant toujours le fauteuil de M. Eliot.

— Une excellente école, se félicitait celui-ci. Je suis agréablement impressionné. Bien entendu, je trouve un peu curieux de mélanger les filles et les garçons. Au collège Beton, il n'y avait que des garçons. Même la femme du directeur était un garçon. Mais c'est le progrès, je suppose.

— En effet, répondit poliment M. Helliwell. Maintenant, veuillez m'excuser.

Le professeur s'éloigna rapidement vers la tente.

M. Eliot se tourna vers son fils.

— J'ai pris la bonne décision en t'envoyant ici, David.

— Ton père prend toujours d'excellentes décisions, renchérit Mme Eliot.

— J'ai suggéré à M. Helliwell d'utiliser davantage le fouet, poursuivit M. Eliot d'un air satisfait. Comme je dis toujours, une bonne correction ne fait de mal à personne.

— Mais, chéri, objecta Mme Eliot, si ça ne fait pas de mal, à quoi ça sert ?

— Mais non, ma chère, ce que je veux dire, c'est que...

Avant que M. Eliot ait pu expliquer sa pensée – ou fait une démonstration –, la cloche sonna. David vit que les parents d'élèves avaient déjà commencé à converger vers la tente.

— La remise des prix va avoir lieu, annonça-t-il.

M. et Mme Eliot, Mildred et David se joignirent aux autres. Mais la foule était si dense et l'entrée si étroite qu'il fallut une bonne vingtaine de minutes pour que chacun puisse s'asseoir. David parcourut des yeux les rangées de chaises alignées sur l'herbe, l'estrade dressée au fond de la tente et les professeurs assis juste derrière. Au premier rang, Vincent attendait la consécration. M. Kilgraw se leva et tout le monde se tut.

Mais quelque chose clochait. David jeta un regard circulaire à l'assemblée. Quelque chose, mais quoi ? C'est alors qu'il comprit. Tout près de l'entrée, il y avait un siège vide.

David ne saisit pas un traître mot du discours de M. Kilgraw. Il scrutait les rangs du public, pressentant déjà ce qu'il allait découvrir.

Il ne s'était pas trompé. Le siège vide. Jill. Elle avait promis de surveiller Vincent et Vincent avait surpris ses paroles. Maintenant Jill avait disparu.

10

Fissures

— Bonjour, mesdames et messieurs, commença M. Kilgraw. Bienvenue à Groosham Grange pour notre remise des prix annuelle. Permettez-moi d'abord de vous présenter les excuses de nos directeurs, MM. Fitch et Teagle, qui ne peuvent assister à notre petite fête. M. Fitch a la fièvre jaune et M. Teagle la rougeole. S'ils s'approchent un peu trop près l'un de l'autre, ils prennent une vilaine teinte orange.

« Groosham Grange a connu une brillante année. Une année que l'on pourrait presque qualifier de magique. J'ai le plaisir de vous annoncer que notre nouveau laboratoire de biologie appliquée a été construit par une main-d'œuvre elle-même créée dans notre ancien laboratoire de biologie. Bravo aux élèves de terminale ! Notre groupe d'écologie a lui aussi très bien travaillé, puisque nous possédons maintenant notre propre forêt tropicale, sur la côte sud de l'île. Quant au corps militaire de l'école, nous pouvons le féliciter pour la part active qu'il a prise dans la guerre du Golfe.

« Bien entendu, tout le travail ne s'effectue pas à Groosham Grange. Notre classe de français a visité la France. Notre classe de grec ancien a visité la Grèce antique. Un inspecteur académique nous a rendu visite. D'ailleurs, si vous passez près du cimetière, j'espère que vous lui rendrez, à lui aussi, une petite visite. Comme toujours, nos enseignants ont fait beaucoup de sacrifices. Merci à eux, et merci aux sacrifiés...

David avait un mal fou à se concentrer sur le discours de M. Kilgraw. Il était assis entre sa mère et son père, non loin de tante Mildred qui, déjà endormie, laissait échapper de légers sifflements. En fait, étant placé au milieu de la tente, David se trouvait complètement cerné par une multitude de parents. Des parents chauves, des parents obèses, des parents au nez strié de petites veines rouges et aux oreilles pleines de cérumen, des parents couverts de bijoux et de vêtements hors de prix... Il avait la sensation d'être englouti dans un océan de parents. Se pouvait-il qu'un jour il leur ressemble ? Quelle horrible perspective !

Tout cela ne l'aidait guère à réfléchir. David savait

que les prochaines minutes seraient décisives. Une fois Vincent en possession du Graal Maudit, tout pouvait arriver. Comment Vincent comptait-il le sortir de l'île ? Allait-il l'emporter lui-même en se dissimulant dans la foule ? Ou bien le passer à quelqu'un *dans* la foule ? Et, dans ce cas, à qui ? Et qu'était devenue Jill ? David brûlait d'envie de partir à sa recherche, mais il était obligé de rester sous la tente pour surveiller Vincent. Il était coincé.

— À Groosham Grange, il n'y a qu'un gagnant, poursuivait M. Kilgraw. Et il n'y a qu'un seul prix...

David reporta son attention vers l'estrade et vit le directeur adjoint lever un objet entre ses mains. Même de loin, David devinait de quoi il s'agissait. Pour les parents, que l'ennui gagnait et qui commençaient à se trémousser sur leurs chaises, ce n'était rien de plus qu'une coupe en argent ornée de pierres rouges. Mais pour David, le Graal Maudit irradiait une lumière puissante. Il la sentait sur lui. Jamais, de toute sa vie, il n'avait autant désiré quelque chose.

— C'est la plus haute récompense de l'école, poursuivit M. Kilgraw. En fait, on pourrait même dire que, sans elle, Groosham Grange n'existerait pas. Chaque année, cette coupe est offerte à l'élève, fille ou garçon, dont le travail, le comportement et surtout la contribution à la vie de l'école l'ont hissé au sommet du classement. Cette année, la compétition a été particulièrement rude...

Était-ce un tour de son imagination, ou le regard

de M. Kilgraw se mit-il à briller en croisant le sien ? David y lut presque un défi. Pendant une fraction de seconde, ils furent seuls sous la grande tente. Plus de parents. Plus de Vincent. Les mains crispées de David se levèrent pour recevoir ce qui lui revenait de droit.

Puis les choses reprirent leur cours normal.

— ... mais j'ai le grand plaisir de vous annoncer que le vainqueur, notre élève le plus éminent, est... Vincent King !

David, qui avait les mains tendues devant lui, les rapprocha pour applaudir mollement, de concert avec la foule. Vincent se leva et monta sur l'estrade. M. Kilgraw lui serra la main en murmurant quelques mots, puis Vincent prit le Graal et retourna s'asseoir. Les applaudissements se turent. C'était fini. Le Graal était à lui.

M. Kilgraw parla encore pendant cinq minutes. David, lui, comptait les secondes. La remise des prix terminée, c'était à lui d'entrer en jeu. Quoi qu'il arrivât, il était résolu à ne pas quitter Vincent ni le Graal d'une semelle. Ensuite, il s'occuperait de Jill.

Mais ce ne fut pas aussi facile que David l'escomptait. Dès que le discours de M. Kilgraw fut fini, tout le monde reflua vers le buffet, au fond de la tente, où Mme Windergast et Gregor servaient du porto et des friands. Vincent se trouva aussitôt encerclé par un groupe d'amis venus le congratuler et examiner le Graal. Dès lors, comment aurait-il pu le surveiller ?

Pire : il devait s'occuper de ses parents. Et M. Eliot était d'humeur massacrante.

— Je suis très déçu, grogna-t-il en déchiquetant un friand à la saucisse. Pour être tout à fait franc, je regrette d'être ton père et de ne pas être celui de Vincent. Lui au moins, il gagne des prix.

— Pourvu que nos voisins ne l'apprennent pas, pleurnicha Mme Eliot en se mordant les doigts. Mon propre fils ! Je ne peux pas le supporter. Nous allons devoir déménager. Je vais changer de nom... changer de visage...

Tante Mildred l'approuvait en hochant la tête :

— Les enfants de mes voisins ramassent des tonnes de prix. Il faut dire qu'ils ont une Japonaise au pair...

David étira le cou, cherchant un espace entre leurs têtes par lequel il pourrait apercevoir Vincent. À cet instant, la foule s'éparpilla. Mais à l'endroit où Vincent se tenait tout à l'heure, il n'y avait plus personne : il avait disparu !

C'est alors que Gregor surgit, boitillant, un plateau dans les mains.

— Kekchoce à manché ? grommela-t-il avec un regard en dessous.

— Comment ? sursauta tante Mildred.

— Il demande si vous voulez quelque chose à manger, traduisit David en jetant un coup d'œil au plateau. Ce sont des friands de crapaud. Et je crois que Gregor les a attrapés lui-même.

— Je pense qu'il est temps que nous partions, murmura Mildred, le teint verdâtre.

Dix minutes plus tard, David accompagnait ses parents jusqu'à la voiture qui devait les ramener à l'embarcadère.

— Au revoir, David, dit M. Eliot. Vraiment, je n'ai pas été content de te voir. Je m'aperçois que ta mère et moi t'avons trop gâté.

— Pourri, pleurnicha Mme Eliot, dont le maquillage coulait en larges traînées sur ses joues.

— Je m'en veux, poursuivit M. Eliot. J'aurais dû te battre davantage. Ce n'est pas comme mon père. Lui, il me corrigeait chaque jour. Il achetait même des sièges en osier pour pouvoir me frapper avec quand il n'était pas assis dessus. Lui, il savait ce que c'était, la discipline ! Schlack ! Schlack ! Schlack ! Les gamins ne comprennent que ça. Comme je le dis toujours, il faut prendre le mal à la racine...

— Ne t'énerve pas, mon chéri ! intervint Mme Eliot d'une voix douce.

C'est alors que tante Mildred les rejoignit en courant.

— Désolée, haleta-t-elle de sa voix nasillarde et haut perchée. Je ne trouvais plus mon sac. Au revoir, David, dit-elle en claquant un baiser sur sa joue. Viens me rendre visite à Margate.

Puis elle monta dans la voiture, posa son sac sur ses genoux maigres, et ajouta :

— C'est drôle, je le trouvais moins lourd ce matin. Je ne comprends pas comment j'ai pu l'égarer. C'est ce gentil professeur qui me l'a retrouvé. Je crois que je pourrais oublier ma tête si...

Elle continuait de babiller lorsque Gregor démarra. La voiture dévala la côte avec d'épouvantables bruits de ferraille. Après l'avoir suivie des yeux un moment, David revint vers l'école.

Où était passé Vincent ? David songea d'abord au ponton d'embarquement, sans se décider à y aller. Non seulement il n'avait aucune envie de revoir ses parents, mais, plus il y réfléchissait, moins il croyait que Vincent tenterait de s'embarquer clandestinement. Pour tromper la vigilance du capitaine Baindesang, il était tellement plus simple de confier le Graal à un passager. Donc, Vincent était certainement quelque part dans l'école. Restait à le retrouver et lui faire avouer son sale petit manège. Et vite !

David fit d'abord le tour de la tente. Les rangs des parents commençaient à se clairsemer. Certains bavardaient encore avec les professeurs, d'autres descendaient à pied avec leurs enfants jusqu'à la jetée. M. Kilgraw n'était plus là, sans doute fuyait-il le soleil. Quant à Mme Windergast, elle rangeait le buffet. David s'approcha d'elle.

— Excusez-moi, madame Windergast. Avez-vous vu Vincent ?

— Pas depuis un moment, mon petit, répondit-elle en souriant. Tu voulais le féliciter, je suppose ?

— Pas exactement, marmonna David.

Il passa une demi-heure à fouiller chaque recoin

de Groosham Grange : la bibliothèque, le dortoir, le réfectoire, les couloirs, les salles de classe, et même les bureaux des directeurs et de M. Kilgraw, tous les deux vides. Puis il se rendit au cimetière et à la lisière du bois. Pas trace de Vincent. La plupart des parents avaient maintenant déserté les lieux. David interrogea des élèves, mais aucun n'avait aperçu Vincent. Ses pas le ramenèrent à nouveau au cimetière. En passant, il cogna machinalement à la tombe de Jeffrey. Pas de réponse.

De retour à l'école, il vit qu'elle était en proie à un étrange phénomène. Il était deux heures de l'après-midi, le soleil brillait, et pourtant il n'y avait aucune douceur dans l'air. David leva une main. Pas de vent non plus, pas le moindre souffle. Une lumière crue, impitoyable, écrasait l'école. David avait l'impression d'entrer dans une photographie, où il était le seul être vivant. Que se passait-il donc ?

Un petit bruit lui fit lever la tête. Au même instant, quelque chose lui heurta la joue. Il se palpa le visage du bout des doigts : c'était un petit caillou qui l'avait à peine blessé. Inspectant l'une des façades qui se dressait au-dessus de lui, il vit, sous une gargouille grise qui faisait saillie à un angle, une petite fissure zigzaguant dans les briques. Cette fissure n'existait pas avant, David en était certain. Longue de vingt centimètres à peine, ses bords roses tranchaient sur la grisaille du mur. Une simple lézarde, voilà tout.

Mais alors que David baissait la tête, il y eut un

autre craquement, suivi d'une nouvelle chute de cailloux. Levant les yeux, il s'aperçut que la fissure s'était élargie autour de la gargouille, et qu'une seconde faille avait surgi un peu plus bas. Quelques fragments de ciment se détachèrent de la paroi et tombèrent dans l'herbe. Il y avait maintenant trois fentes, dont la plus grande mesurait environ trente centimètres de long et huit centimètres de large. La gargouille était cernée. Ses vilains yeux globuleux et sa bouche tordue exprimaient une terreur indicible.

Tout à coup, David comprit. Le quatrain lui revint en mémoire.

Porte le Graal Maudit dans l'ombre...

... et Groosham Grange tombera en poussière.

Il n'y avait encore que quelques fissures, mais elles étaient la preuve que Groosham Grange commençait à s'effondrer.

LE GRAAL AVAIT DÉJÀ QUITTÉ L'ÎLE.

Est-ce que Vincent était parti avec ? Le temps était compté désormais. Il restait à peine trois ou quatre heures à David pour retrouver son ennemi et Canterbury était loin. Peut-être était-il déjà trop tard.

David fut pris de panique. Il réalisa soudain qu'il avait complètement oublié d'inspecter le seul endroit où il avait une chance de trouver Vincent, le seul endroit à receler une part du mystère : la tour Est. Même si le Graal avait quitté l'île, Vincent pouvait se cacher là et il était le seul à pouvoir le mettre sur la trace du Graal. David s'élança. Déjà en courant une quatrième fissure, plus large encore que les autres, creusait le mur.

Arrivé en bas de la tour, il fonça sans réfléchir et ouvrit la porte d'un coup de pied. Après l'éclat de la lumière extérieure, l'obscurité l'aveugla pendant cinq secondes. Cinq secondes qui lui suffirent pour prendre conscience de trois choses.

Un : Vincent était venu là récemment. L'odeur qu'il avait remarquée la nuit où on avait tenté de le tuer flottait de nouveau, obsédante.

Deux : il aurait dû entrer doucement et laisser sa vue s'accommoder à l'obscurité.

Trois : il n'était pas seul.

David était pris au piège. Une main invisible jaillit dans le noir et enserra sa gorge. Il voulut crier, mais avant d'avoir émis un son, une deuxième main se plaqua sur sa bouche. Sous cette main, il y avait un morceau de tissu qui empestait le fruit pourri et l'alcool. David suffoquait et se débattait furieusement. En sombrant dans l'inconscience, il se dit que cette main était vraiment très grande, beaucoup trop pour appartenir à Vincent.

Mais si ce n'était pas Vincent, qui cela pouvait-il être ?

11

Vincent

David se sentait moulu, broyé. Il avait mal aux bras, aux poignets, aux épaules, à tel point que la douleur le réveilla. Il y avait aussi une voix qui criait son nom. En ouvrant les yeux, il se vit recroquevillé par terre, adossé au mur, dans une pièce qui lui était familière : la salle circulaire de la tour Est. Quelqu'un l'avait assommé, transporté là-haut, ligoté et abandonné.

Mais qui ?

Depuis le début, il croyait dur comme fer que Vincent complotait de voler le Graal. Maintenant, alors qu'il était sans doute trop tard, il comprenait enfin son erreur. Car Vincent était là en face de lui, également ligoté, les cheveux en bataille, un vilain hématome sur la pommette. Avec Jill, assise de l'autre côté, ils formaient un triangle. C'était elle qui appelait David pour lui faire reprendre conscience.

— Ça va, ça va, dit David en se redressant. Je suis réveillé.

Il essaya d'écarter ses poignets. Sans résultat. Ses mains étaient si solidement attachées derrière son dos qu'il pouvait à peine bouger les doigts. En poussant sur ses talons, il réussit néanmoins à se redresser contre le mur.

— Donne-moi quelques secondes, dit-il.

Il ferma les yeux et murmura les premiers mots d'une formule magique qui invoquait le secours d'un démon assyrien subalterne.

— C'est inutile, l'interrompit Vincent.

David sursauta. Lui et Vincent ne s'adressaient la parole qu'en cas de nécessité absolue. David avait presque l'impression de l'entendre pour la première fois. En fait, c'était aussi la première fois qu'ils se trouvaient du même côté – du moins en apparence. Vincent semblait fatigué et abattu.

— N'essaie pas d'exercer tes pouvoirs magiques, ça ne marche pas.

— Regarde la porte ! dit Jill.

David tourna la tête. Un dessin était peint sur le battant : un œil stylisé avec une ligne sinueuse en travers.

— L'œil d'Osiris, expliqua Vincent. Il crée une barrière magique. Autrement dit...

— ... nous n'avons plus aucun pouvoir, conclut David. Je sais.

Serrant les dents, il bougea ses poignets pour essayer de détendre la corde. Il lui en coûta quelques centimètres de peau, mais il parvint seulement à faire pivoter ses mains, les paumes l'une contre l'autre. Au moins pourrait-il ramasser quelque chose – à supposer qu'il y eut quelque chose à ramasser.

Il finit par abandonner.

— Qui a fait ça ?

— Je ne sais pas, répondit Vincent. Je ne les ai pas vus.

— Ni moi, ajouta Jill. Après la remise des prix, j'ai suivi Vincent jusqu'ici. Celui qui l'a assommé m'a sans doute vue arriver.

— Et moi aussi, marmonna David d'un air morose.

— Pourquoi me suivais-tu ? questionna Vincent.

Jill tourna la tête vers David avant de répondre, d'un ton où pointait son aigreur.

— Il croyait que tu allais voler le Graal.

— Ça paraît logique, murmura Vincent.

— Je savais que *quelqu'un* allait le voler, expliqua David, conscient qu'il rougissait.

Depuis le début, il faisait fausse route, et son horrible méprise pouvait causer leur perte à tous les trois.

— J'ai été victime d'un coup monté, ce fameux soir, dans le bureau de M. Kilgraw. Jamais je n'ai essayé de voler le questionnaire de l'examen. Et je savais ce que thanatomanie veut dire, mais on a volé une partie de ma copie. Pour ce qui est des figures de cire, peut-être que Vincent n'y est pour rien, mais je n'ai rien inventé. Quelqu'un a fauché la statuette pour qu'il puisse gagner à ma place.

Tout en parlant, David avait conscience de s'enliser. Il se tut.

— Tu ne m'as jamais donné ma chance, remarqua Vincent.

C'était vrai, et David le savait. Il n'avait pas honte de s'être trompé, mais d'avoir été cruel et stupide. Il avait suspecté Vincent parce qu'il ne l'aimait pas, et il ne l'aimait pas parce qu'ils étaient rivaux. Vincent disait vrai : jamais David ne lui avait donné sa chance. Dès le premier instant il l'avait traité en ennemi.

— Comment pouvais-je deviner ? murmura David. Je ne te connaissais pas...

— Tu n'as jamais cherché à me connaître.

David se sentait terriblement coupable. Au fait, quand avait-il commencé à soupçonner Vincent ?

— Qu'est-ce que tu fabriquais dans la tour Est ? Je t'ai vu en sortir. C'est là que tu es venu la nuit où j'ai été surpris dans le bureau du directeur ?

— Oui, acquiesça Vincent.

— Pourquoi ?

Vincent hésita un instant avant de répondre.

— Je venais fumer. J'ai commencé à fumer

quand j'étais à l'Assistance, et après je n'ai plus arrêté.

— Tu venais fumer ! s'exclama David en se rappelant l'odeur qu'il avait remarquée, sans parvenir à l'identifier. C'était donc ça : une odeur de tabac froid ! Je n'arrive pas à y croire. Tu fumes ? Comment peux-tu être aussi stupide ?

— Côté stupidité, tu n'as rien à lui envier, fit observer Jill.

— C'est vrai.

Jill se tortilla sur le sol pour essayer de libérer ses poignets et reprit :

— C'est bien joli de rester là à bavarder, mais comment allons-nous sortir de là, à votre avis ?

— Et si on s'en sort, qu'est-ce qu'on fait après ? ajouta Vincent.

À peine avait-il parlé qu'un grondement retentit au loin, sourd d'abord, puis de plus en plus violent. Et soudain un fracas terrible éclata. David regarda par la fenêtre. Le ciel virait au gris sombre. Rien à voir avec la couleur du crépuscule. D'ailleurs, même s'ils étaient restés inconscients pendant une heure, il ne pouvait être plus de quatre heures, et puis le soleil ne brillaitil pas avant que David ne s'évanouisse ? Une tempête menaçait l'île du Crâne. Et la perspective de rester là, ligotés en haut de la tour, au beau milieu des éléments déchaînés, n'avait rien de réjouissant.

— Je crois... commença David.

Il n'alla pas plus loin. La tour tout entière se mit

subitement à trembler, comme frappée par une onde de choc. Jill hurla. Tout près de l'endroit où elle était assise, un pan entier du mur venait de s'effondrer. Aussitôt l'air s'engouffra en tourbillonnant par le trou béant. Un deuxième coup de tonnerre éclata. La tour oscilla de nouveau et les lourdes dalles de pierre s'écartèrent comme de simples feuilles de papier. Entre David et Vincent, une longue fissure scindait maintenant le sol en deux.

— Que se passe-t-il ? gémit Jill.

— Le Graal a quitté l'île, expliqua David. C'est le début de la fin.

David regarda le symbole blanc peint sur la porte en bois. Même s'il parvenait jusqu'à l'œil d'Osiris, il ne pourrait pas l'effacer. Donc, impossible de recourir à la magie. Pour s'échapper, ils ne devaient compter que sur leurs propres ressources. David inspecta le sol des yeux en s'efforçant d'éviter la fissure. Mais il n'y avait ni tesson de bouteille, ni clous rouillés, ni couteaux, rien qui pût couper leurs cordes. De son côté, Vincent se démenait furieusement. Il réussit à desserrer un peu ses mains, mais ses poignets restaient solidement attachés.

Troisième coup de tonnerre. Cette fois, le toit fut frappé de plein fouet. Alors que Jill criait et roulait sur elle-même pour se protéger, deux poutres en bois s'abattirent au centre de la pièce, suivies d'une pluie de poussière et de gravats. Vincent disparut et, l'espace d'une seconde, David crut qu'il avait été écrasé. Mais il toussa et se redressa sur les genoux, sans cesser de tirailler ses liens.

— La tour est en train de s'effondrer ! s'écria Jill. À quelle hauteur sommes-nous ?

— Beaucoup trop haut, dit David.

Sur le sol, la fissure s'était encore élargie. Bientôt toutes les dalles céderaient et ils dégringoleraient avec elles, dans un chaos de briques et de pierres, quatre-vingt-dix mètres plus bas. Ils étaient promis à une mort certaine.

Tout à coup, David eut une idée.

— Vincent ! Après la remise des prix, tu es venu fumer ici !

— Oui, admit Vincent. Mais, si on s'en sort, je jure d'arrêter.

— Tu as des cigarettes sur toi, alors ?

— David, ce n'est pas le moment de te mettre à fumer, toi aussi, se lamenta Jill.

— Oui, j'ai des cigarettes, répondit Vincent.

— Avec quoi tu les allumes ?

Vincent comprit. Il avait l'esprit aussi vif que David. Et David savait que, s'ils avaient travaillé ensemble depuis le début, rien de tout cela ne serait arrivé. En se contorsionnant dans tous les sens, Vincent parvint à vider le contenu de ses poches sur le sol : quelques pièces de monnaie, un stylo, un briquet.

Bouger avec les mains liées dans le dos n'était guère facile. D'abord il lui fallut pivoter sur lui-même, puis tâtonner dans son dos pour récupérer le briquet. Pendant ce temps, David se traînait par terre en s'aidant de ses pieds. Il s'arrêta devant la fissure, large de quinze centimètres, mais à l'instant où il s'apprêtait à passer par-dessus, le sol se remit à trembler. Jill poussa un cri. David se propulsa en avant. Le tonnerre éclata juste à côté d'eux, et la partie du sol que David venait de quitter s'effondra, laissant à sa place un énorme trou noir. David, qui avait failli se disloquer l'épaule en atterrissant, poussa un soupir de soulagement en entendant les dalles exploser tout en bas.

— Vite ! le pressa Vincent.

Surmontant sa douleur, David manœuvra pour se mettre dos à dos avec lui. Jill s'était également rapprochée. Autour d'eux, tout tombait. Il ne restait plus un seul endroit sûr. Mais si l'un d'eux mourait maintenant, les autres mourraient avec lui, et cette pensée leur apportait malgré tout un vague réconfort.

— Ça va faire mal, l'avertit Vincent.

— Vas-y !

Après quelques tâtonnements maladroits, qui lui faisaient craindre de laisser échapper le briquet, Vincent parvint à l'allumer. Il devait le manier à l'aveuglette, entre son dos et celui de David, et il était trop pressé pour prendre des précautions. Sentant la flamme lui roussir l'intérieur du poignet, David poussa un cri de douleur.

— Pardonne-moi, dit Vincent.

— Ce n'est pas ta faute. Continue.

Vincent ralluma le briquet en s'efforçant de diriger la flamme vers l'endroit où il pensait toucher les cordes. Le vent se ruait en rafales par les ouvertures béantes des murs et du toit, menaçant à tout moment d'éteindre le briquet. Quand la flamme vint de nouveau le brûler, David grimaça de douleur mais il se retint de crier. Il était presque soulagé de sentir le roussi !

D'autres gravats dégringolèrent. Jill devint toute blanche et David crut qu'elle allait s'évanouir, puis il comprit qu'elle était simplement recouverte de plâtre de la tête aux pieds. Jill n'était pas du genre à s'évanouir.

— Je sens une odeur de grillé, remarqua-t-elle. Ce doit être la corde.

— À moins que ce soit ma peau, murmura David.

Il étirait les bras au maximum pour essayer d'éviter la flamme. L'opération lui paraissait interminable. Mais tout à coup, il y eut une secousse et ses mains s'écartèrent. En quelques secondes, il fut debout, libre, la corde brûlée pendant à ses poignets. Il délivra aussitôt Vincent. Ce dernier avait le pouce et la paume de la main sérieusement brûlés. David lui décerna mentalement un bon point : il ne s'était pas plaint une seule fois.

Puis ils se dépêchèrent de libérer Jill, et tous les trois foncèrent vers la sortie. Le sol continuait de s'effondrer. On eût dit que la tempête dévorait la tour pierre après pierre, la rongeait au moyen d'un acide. Et bientôt, ce serait le tour de l'école.

David fut le premier à atteindre la porte : elle n'était pas verrouillée. Celui qui les avait ligotés était sûr de la solidité de ses nœuds. Jill accrochée à David, Vincent fermant la marche, ils dévalèrent l'escalier en colimaçon. À mi-chemin, deux nouvelles dalles s'effondrèrent, les manquant de peu, et allèrent exploser en bas de la tour. Par bonheur, la partie inférieure était épargnée par la tempête. Plus ils descendaient, plus ils étaient en sécurité. Enfin ils atteignirent les dernières marches, sains et saufs.

Mais dehors, tout avait changé.

L'île du Crâne était noire, cinglée par une pluie acide et brûlante. Dans le ciel, les nuages se tordaient et bouillonnaient comme une sombre mixture dans le chaudron d'une sorcière. Des bourrasques les fouettaient, leur jetant au visage des plantes et des feuillages arrachés. L'île était déserte. Le cimetière, dont la tempête avait renversé deux pierres tombales, semblait sauvage et abandonné. Derrière, Groosham Grange se dressait contre le vent, aussi noire et lugubre qu'une usine désaffectée. Moins endommagée que la tour Est, l'école avait néanmoins souffert : les façades étaient fissurées, plusieurs fenêtres brisées, le lierre arraché pendait lamentablement. Il y eut un nouvel éclair et l'une des gargouilles plongea dans les ténèbres, puis vola en éclats en heurtant le sol.

— Mais qu'est-ce qui se passe ? cria Vincent pour couvrir le hurlement du vent.

— C'est le Graal, répondit David. Il se dirige vers le sud. Une fois à Canterbury, tout sera fini !

— Tu sais qui l'a emporté ? demanda Jill. Puisque ce n'est pas Vincent, qui est-ce ?

— Et qu'est-ce que nous pouvons faire ? ajouta Vincent. Il faut absolument le rapporter sur l'île.

— Je ne sais pas... commença David.

Mais soudain tout s'éclaircit. Une à une, les pièces du puzzle trouvèrent leur place. Il savait qui détenait le Graal. Il savait comment on l'avait fait sortir de l'île. La seule chose qu'il ignorait, c'était comment le récupérer.

Vincent lui saisit le bras.

— J'ai une idée.

— Laquelle ?

— Nous pouvons quitter l'île. Du moins l'un de nous...

— Montre-moi comment, dit David.

Le tonnerre éclata de nouveau. Ils s'élancèrent tous les trois vers l'école.

12

Poursuite

À l'intérieur de la Rolls Royce, la chaleur devenait insupportable.

M. Eliot glissa un doigt dans l'encolure de sa chemise puis alluma l'indicateur de température. Le moteur ne chauffait pas plus qu'à l'accoutumée, et pourtant il transpirait. Sa femme transpirait. Les sièges en cuir aussi. Quant à tante Mildred, son maquillage avait dégouliné, et elle ressemblait à un Sioux sous une averse. Comment était-ce possible ? Le soleil brillait, mais la journée touchait à sa fin. Bizarre, bizarre !

— Je crois que je vais m'évanouir, murmura Mme Eliot.

Et sa tête s'écrasa contre le tableau de bord de la Rolls Royce.

— Oh, non ! se lamenta M. Eliot.

— Elle s'est fait mal ? s'inquiéta tante Mildred en se penchant par-dessus le siège, sans lâcher son précieux sac à main.

— Ça, je n'en sais rien ! répondit M. Eliot. Ce que je sais, c'est qu'elle a abîmé le placage en noyer du tableau de bord ! Devine combien il m'a coûté ? Un mois de salaire ! Et encore, j'ai dû travailler la nuit !

— On dirait qu'elle est morte.

— Mais non, la détrompa M. Eliot en enfonçant affectueusement un doigt dans l'œil de sa femme. Elle respire encore.

Les vitres de la Rolls Royce étaient maintenant couvertes de buée et, M. Eliot roulant à cent cinquante à l'heure, cela rendait la conduite difficile, et même plutôt dangereuse. Accroché au volant, la mine morose, il doublait les autres véhicules par l'intérieur. Mais au moins roulait-il sur le bon côté de la route.

— Tu devrais brancher l'air conditionné, suggéra tante Mildred.

— Bonne idée ! grogna M. Eliot. L'air pur de la montagne ! Voilà ce qu'on respire dans une Rolls Royce. J'aurais pu m'offrir deux fois le tour du monde pour le prix que ça m'a coûté...

— Branche-le, je t'en prie, le pressa tante Mildred, dont le rouge à lèvres dégoulinait sur le menton.

M. Eliot tourna un bouton. Il y eut un grondement, et avant qu'ils aient pu réagir, une véritable tempête de neige s'engouffra dans la voiture par les tuyaux d'air conditionné. En quelques secondes, leur sueur gela. De longs glaçons pendouillaient au bout du nez et du menton de M. Eliot, dont la moustache se solidifia. Mme Eliot, réveillée par la morsure du froid, eut la surprise de se découvrir collée au tableau de bord. À l'arrière, tante Mildred disparaissait sous une énorme congère qui la recouvrait jusqu'aux épaules comme une couverture blanche. Brusquement, la Rolls Royce se mit à faire des embardées, éjectant les autres voitures sur les rails de sécurité. Mais les mains de M. Eliot étaient solidement fixées au volant.

— Que se passe-t-il ? brailla-t-il, sa bouche ouverte exhalant des nuages blancs. Avant de partir, j'ai fait réviser la voiture par un garagiste spécialisé. Et les garagistes Rolls Royce sont eux-mêmes régulièrement révisés. Bon sang, mais qu'est-ce qui se passe ? C'est la chienlit, cette autoroute !

— Il y a une station-service, là-bas. Tu devrais t'arrêter un moment, gémit tante Mildred.

— Bonne idée !

M. Eliot bifurqua brutalement.

Il leur fallut dix bonnes minutes pour s'extirper de la Rolls gelée, qu'ils décidèrent de laisser doucement fondre au soleil. Pour détacher Eileen Eliot du tableau de bord, il fallut un ciseau à bois ; pour décrocher Edward Eliot du volant, un chalumeau. Une fois sortis de la voiture, ils remontèrent la rampe en ciment qui menait au Restoroute « Croque Vite ».

C'était un Restoroute typique. Chaises en plastique, tables en plastique, nourriture en plastique. Dans la salle de restaurant aux couleurs éblouissantes et aux fleurs artificielles, quelques automobilistes écoutaient la musique sirupeuse diffusée par la radio et picoraient d'un air triste dans leurs plats tout juste tièdes. Dehors s'écoulait le flot ronflant des voitures, qui exhalait une odeur d'essence et de pneus surchauffés.

Mildred jeta un regard dégoûté autour d'elle et marmonna :

— Au Japon au moins, il y a de belles stations-service. On y sert de délicieux sushis.

— Qu'est-ce que c'est, des sushis ? demanda Eileen Eliot, à qui le voyage en voiture avait donné mal au cœur.

— Du poisson cru, expliqua Mildred avec enthousiasme. Des lamelles de poisson cru qui ont un peu la consistance de la gelée. Toutes les stations-service japonaises en servent...

— Où sont les toilettes ? gargouilla Eileen Eliot en se précipitant du côté des cuisines.

— J'adore la cuisine japonaise, insista Mildred en s'asseyant à une table.

— Tu ne peux pas oublier un peu le Japon et te

taire, espèce de vieille jacasse ! bougonna Edward en approchant son fauteuil roulant et en ouvrant brutalement la carte du menu. Tiens ! Ils ont du cabillaud et des frites. Tu peux leur demander de te les servir crus...

Quand Eileen Eliot fut de retour, ils commandèrent deux assiettes de spaghettis et une portion de cabillaud. Insensiblement, l'atmosphère du restaurant avait déjà commencé à se modifier.

Au début, personne n'y prêta attention. Le ronronnement de la circulation couvrait les cris des enfants qui jouaient dehors sur un toboggan en plastique en forme de dragon. Mais le toboggan n'était plus en plastique. Il avait déjà dévoré deux enfants et en poursuivait un troisième – ses griffes étaient bien réelles et son souffle brûlant. À une centaine de mètres de là, à la station-service, les automobilistes plongeaient à l'abri des pare-brise qui volaient en éclats, tandis que certaines pompes tiraient des projectiles. Plutôt que de l'essence sans plomb, elles fournissaient des plombs sans essence !

À l'intérieur même du restaurant, la musique sirupeuse s'écoulait toujours des haut-parleurs – à cette différence près que, maintenant, elle s'en écoulait *réellement.* On eût dit du miel, mais un miel d'un rose luisant et beaucoup plus collant. Des pucerons en plastique s'attaquaient aux fleurs en plastique, les serveurs et les serveuses se couvraient de pustules. Celui qui servait les Eliot avait perdu tous ses cheveux.

— Mon Dieu ! s'exclama Mildred en contemplant son assiette. Mon cabillaud nage dans la graisse !

Et il nageait pour de bon. Apparemment, le cuisinier avait oublié de le tuer, et le poisson argenté barbotait gaiement dans un grand plat de graisse froide.

— Ces spaghettis ne m'inspirent pas confiance..., commença Eileen Eliot.

Les spaghettis ne semblaient pas avoir davantage confiance en elle : ayant soudain pris vie, ils se mirent à ramper comme une armée de longs vers blancs, sautèrent de l'assiette et entreprirent de traverser la table en grouillant.

La même chose se produisit dans l'assiette d'Edward Eliot.

— Revenez ici tout de suite ! ordonna-t-il en piquant frénétiquement la table avec sa fourchette.

Mais les spaghettis l'ignorèrent et s'empressèrent de rejoindre deux poulets plumés et sans tête qui s'enfuyaient de la cuisine en courant sur leurs pattes maigrichonnes.

— C'est une maison de fous ! s'écria M. Eliot. Filons d'ici !

Eileen et Mildred étaient bien d'accord, mais comment sortir de là ? Les portes à tambour tournaient tellement vite qu'elles moulinaient tout sur leur passage. Deux policiers et un chauffeur de camion étaient déjà réduits à l'état de viande hachée. Finalement, ils trouvèrent une porte-fenêtre qui donnait sur le parking où les attendait leur voiture.

— Une chose pareille n'arriverait jamais au Japon ! s'exclama Mildred.

— Je vais la flanquer dans le coffre ! grommela Edward Eliot en tournant la clef de contact. Comme je regrette de l'avoir emmenée...

— Je voudrais bien savoir ce qui se passe, poursuivit Mildred entre ses dents.

En faisant marche arrière, la Rolls Royce écrasa le pique-nique d'une famille et une poubelle.

— Margate, nous voilà ! lança M. Eliot.

Tante Mildred se rencogna d'un air misérable sur la banquette arrière, son sac serré contre elle. Elle n'avait pas remarqué – mais sans doute n'aurait-elle rien dit si elle l'avait vu – que son sac brillait d'un étrange éclat verdâtre. Et, à l'intérieur, quelque chose vibrait en bourdonnant doucement.

La Rolls Royce rejoignit l'autoroute et continua son voyage vers le sud.

David s'agrippait comme il pouvait, suspendu entre l'océan tumultueux et le tourbillon des nuages. Chaque bourrasque menaçait de le déloger de son perchoir. Pas moyen de se détendre, même une seconde : sa concentration devait être parfaite. Les mains serrées, les bras tendus, le visage cinglé par le vent et la pluie, il faisait avancer le balai.

C'était ça, l'idée de Vincent. Le balai de Mme Windergast ! La mer était en effet trop démontée pour pouvoir naviguer – à supposer qu'ils réussissent à subtiliser le bateau du capitaine. Du vol en balai, ils ne connaissaient que les bases théoriques : jamais ils n'étaient passés à la pratique, et encore moins pendant une tempête. Pourtant, David avait aussitôt approuvé la suggestion de Vincent. C'était ça, ou rien !

Ils avaient donc couru chercher le balai dans la chambre de Mme Windergast. Habituellement, la porte était verrouillée et gardée par son fidèle corbeau, mais la tempête avait tout bouleversé. Enseignants et élèves avaient disparu – sans doute dans les souterrains –, tandis que les éléments en furie, mer, vent, tonnerre et pluie, se déchaînaient ensemble pour détruire l'île du Crâne.

La chambre de Mme Windergast était vide. Par l'une des fenêtres, la tempête s'était violemment engouffrée, causant un désordre indescriptible : des flaques d'eau, du verre brisé, des papiers jonchaient le sol. Les rideaux claquaient contre le mur. Quant au balai, il gisait par terre, à moitié dissimulé derrière une chaise.

— Tu sais où tu vas ? demanda Jill en haussant la voix pour couvrir le tumulte.

David hocha la tête. Le souvenir d'une ligne dans une lettre et quelques mots saisis çà et là avaient provoqué en lui un petit déclic.

Edward et Eileen Eliot ! Une fois partis de Groosham Grange, ses parents devaient raccompagner tante Mildred à Margate. Son père le lui avait écrit quelques semaines plus tôt. Où était situé Margate ? À quelques kilomètres au nord de Canterbury.

Et qu'avait dit tante Mildred en montant dans la voiture ? *C'est drôle, je le trouvais moins lourd ce matin...* Elle avait égaré son sac. Quelqu'un le lui avait rendu, mais après l'avoir chargé d'un objet bien particulier. David en était certain : le Graal était caché dans le sac de tante Mildred, et elle l'avait sorti de l'île sans s'en douter.

En empoignant le balai dans la chambre de Mme Windergast, David savait qu'il devait mettre le cap au sud, retrouver la Rolls Royce orange, et l'intercepter avant qu'elle atteigne Margate. Quant à savoir qui attendait le Graal là-bas, mystère !

— C'est moi qui devrais y aller, dit Vincent.

— Non. Tout ça est arrivé par ma faute. Ce sont mes parents. Et puis... (il esquissa un sourire), si je me souviens bien, tu as du mal à tenir en équilibre sur un balai.

— Méfie-toi ! Ce n'est pas aussi facile que ça en a l'air.

— Tu devrais te dépêcher, David, intervint Jill. Les pouvoirs de l'école sont en train de faiblir. Si le Graal se rapproche encore de Canterbury, le balai ne volera plus. Tu tomberas et tu te tueras.

— Je te remercie, murmura David.

Avec un vague sentiment de ridicule, il passa le balai entre ses jambes. Qu'avait dit Mme Windergast ? Il se concentra et, presque aussitôt, le balai commença à s'élever. Ses pieds quittèrent le sol.

David ne volait pas à proprement parler : disons plutôt qu'il flottait au-dessus du tapis en s'efforçant de conserver son équilibre.

— Bonne chance, dit Vincent.

— Merci, répondit David en faisant demi-tour.

Une seconde plus tard, il franchissait la fenêtre à cheval sur le balai et s'enfonçait dans la tempête.

Les premières minutes furent les plus éprouvantes. De toutes parts, le vent déferlait sur lui, et c'était comme si mille poings invisibles le boxaient au même instant. La pluie l'aveuglait. Alors même qu'il gagnait de la hauteur, il aurait été incapable de dire s'il se dirigeait vers le sud ou le nord. Le balai fonctionnait par télépathie. Il suffisait à David de penser « droite » pour aller à droite, mais il ne fallait pas le penser trop intensément, sous peine de tourner en rond comme sur un manège. Rester en l'air était déjà un exploit.

Il volait encore au-dessus de l'île quand, du coin de l'œil, il aperçut Groosham Grange selon un angle très bizarre, puis carrément à l'envers. Vite ! il devait rétablir la situation. Il n'allait pas avoir mal au cœur alors que le voyage venait à peine de commencer. David força le balai à se remettre dans le bon sens, puis, le corps arc-bouté, il recommença à lutter contre la tempête. Quand il fut parvenu à une trentaine de mètres d'altitude, il réussit enfin à tenir les commandes.

David volait ! Il ignorait jusqu'à quelle vitesse le balai pouvait aller, mais il lui semblait avoir quitté l'île depuis quelques secondes à peine. Juste en dessous de lui, la mer rugissait et écumait, tandis qu'au loin se dessinait la côte de Norfolk. Tout à coup, il relâcha son attention et entra en collision avec un vol de mouettes. Pendant un instant il fut noyé dans un nuage de plumes grises et assourdi par des cris indignés. Perdant le contrôle du balai, il se mit à basculer vers la mer. Il battit désespérément des jambes en voyant les vagues se précipiter à sa rencontre. Encore quelques secondes et ce serait le plongeon.

— Monte !

David cria ce mot, mais surtout il le pensa très fort. Ne pas céder à la panique, c'était l'essentiel. La panique pétrifiait l'esprit et, sans un esprit clair, impossible de voler. David relâcha tous ses muscles. Cette fois, le balai répondit à son ordre et redressa le nez. La mer avait disparu. Tout en reprenant de l'altitude, David aperçut en dessous de lui la terre et les longues plages de la côte de Norfolk. La tempête était loin, le soleil brillait.

La gorge serrée, David mit le cap au sud et se lança à la poursuite du Graal.

Après le départ de David, Vincent et Jill quittèrent la chambre de Mme Windergast pour rejoindre le réseau de caves souterraines installé sous l'école. Ils eurent la sensation terrifiante de traverser une ville pendant un raid aérien. Dehors, le vent hurlait comme une multitude de sirènes, tandis que le tonnerre et les éclairs frappaient l'île de coups redoublés, aussi meurtriers que des bombes. Au moment où ils atteignaient l'escalier principal, une immense fenêtre ornée de vitraux vola en éclats et les inonda d'une pluie de verres multicolores.

Ils coururent jusqu'à la bibliothèque dans l'espoir de traverser le miroir qui donnait accès à la galerie souterraine. Trop tard. La tempête avait brisé deux fenêtres de la salle et endommagé le miroir. Une simple fêlure suffisait à condamner le passage : en traversant la glace fêlée, ils risquaient d'être eux-mêmes coupés en deux.

— Dehors ! cria Vincent.

Jill le suivit sans hésiter. C'était un spectacle inimaginable. L'île entière était la proie de bouleversements aussi violents qu'une éruption volcanique. Pire même, puisque partout s'exerçait la même œuvre de destruction. Des arbres entiers étaient arrachés, les tombes du cimetière retournées, les plus grandes éventrées. Le ciel était noir comme au cœur de la nuit la plus obscure, traversé d'éclairs qui le tailladaient aussi sûrement que des lames de rasoir. La tour Est s'était effondrée sur elle-même, et l'école semblait sur le point de l'imiter.

— Regarde ! cria Jill en désignant les gargouilles accrochées à la corniche de Groosham Grange. Leurs yeux rougeoyaient dans la tempête, comme des signaux avertisseurs avant une catastrophe nucléaire. Au même moment, une chose immense et terrifiante s'éleva au loin. À peine Jill l'avait-elle aperçue que Vincent lui saisit la main et plongea dans une tombe.

Un raz de marée. Le monde disparut dans un cauchemar blanc argenté. L'eau s'abattit sur l'école, le cimetière, la forêt, tout. Une seconde après, le sol fut saisi d'une atroce convulsion, et Jill se trouva projetée dans les bras de Vincent.

— Combien de temps encore ? cria Jill. Combien de temps va résister l'école ?

Vincent était tout pâle, glacé par l'eau qui avait réussi à s'engouffrer dans la tombe. Une tombe. Quel endroit horrible pour se cacher !

— Je ne sais pas, dit Vincent. Le Graal doit se rapprocher de Canterbury.

Il jeta un coup d'œil à l'extérieur vers le ciel ténébreux, et ajouta dans un murmure :

— Dépêche-toi, David. Le temps presse.

Le pouvoir du Graal continuait de croître, plus imprévisible et incontrôlable à mesure qu'il s'éloignait de Groosham Grange. Alors que l'école permettait de canaliser son énergie, elle se libérait à l'approche de Margate – sans contrainte aucune.

— Je me sens toute drôle, dit Mildred. J'ai dû manger quelque chose qui ne passe pas. Je gonfle de partout.

Eileen Eliot se retourna. C'était vrai. La petite bonne femme ratatinée enflait comme si on l'avait branchée sur un tuyau d'air comprimé. À côté d'elle, sur le siège, son sac bourdonnait et luisait, éclairé de l'intérieur par l'éclat puissant du Graal Maudit. Ses épaules et sa poitrine débordaient de ses vêtements déchirés, ses cheveux tombaient, et même ses yeux avaient quelque chose de bizarre...

— Mildred a raison, Edward, couina Eileen d'une voix étranglée. Je crois qu'on devrait l'emmener chez un médecin. Mais, bien entendu, Edward Eliot ne lui prêta aucune attention. Lui-même subissait une étrange métamorphose. Ce n'était pas seulement sa peau, plus épaisse et plus rose, qui se couvrait par endroits de drôles de poils drus. Même ses oreilles et sa figure avaient changé de forme.

— Edward... ? gémit Eileen d'une voix chevrotante.

M. Eliot poussa un grognement et appuya sur la pédale d'accélérateur. Pourtant, il n'avait plus de pied ni de chaussure. À la place était apparu quelque chose qui avait toutes les apparences d'un pied de cochon.

Eileen Eliot s'affaissa sur son siège et se mit à pleurer. Autour d'elle, tout se tordait et se métamorphosait. Le monde devenait fou.

La voiture approchait d'un passage piétons signalé par des bandes blanches qui zébraient la chaussée. Edward Eliot ne prit pas la peine de ralentir. Mais soudain l'air vibra et il dut braquer violemment le volant pour éviter un troupeau entier de zèbres sorti d'un bureau de poste et galopant vers un terrain de jeu. Un peu plus loin, la Rolls Royce déboucha devant une fourche – ou plutôt une fourchette en métal argenté, longue d'environ deux mètres, posée à côté d'un couteau et d'une cuiller. Ailleurs, à un embranchement en patte d'oie, des hordes d'oies et de jars fonçaient sur les habitants affolés de Margate en criaillant et cacardant. Le long de la route, au dernier étage des maisons, les œils-de-bœuf s'étaient animés et suivaient toute cette agitation de leur regard placide. Un pont en dos d'âne se mit subitement à braire et à ruer dans les brancards d'une ambulance qui s'était risquée à lui rouler dessus.

— On ne doit pas être sur la bonne route, gémit Eileen Eliot.

Elle jeta un coup d'œil en arrière et poussa un cri aigu. Devant eux, il y avait les boutiques et les trottoirs de Margate. Derrière, rien : le vide, le trou noir.

— Où sommes-nous ? pleurnicha Eileen.

— Dans une rue à sens unique, répondit Mildred.

Elle avait raison : la rue allait dans un seul sens.

Dans le sac, le Graal Maudit continuait de bourdonner et de briller.

La robe de Mildred se déchira en deux. Elle était obèse, monstrueuse, et lorsqu'elle parla de nouveau, ce ne fut pas en anglais mais en japonais. Ses yeux s'étaient bridés, ses pommettes aplaties. D'énormes seins masculins pendouillaient sur son énorme estomac, et ses cuisses grosses et grasses semblaient des jambons géants. De ses vêtements déchiquetés, il ne restait qu'un lambeau de linge blanc, perdu au milieu de tant de chair.

Eileen comprit ce qui s'était passé. Tante Mildred, qui avait toujours adoré les Japonais, s'était transformée en lutteur sumo...

— Edward..., gémit-elle.

Mais M. Eliot répondit d'un simple grognement. Il avait perdu la faculté de parler. Sa bouche et son nez formaient une avancée unique et proéminente sur ce qui lui restait de menton. Ses dents avaient doublé de volume et pris une vilaine teinte jaunâtre. De ses manches de veste et de chemise déchirées sortaient deux bras roses et noueux, couverts des mêmes poils drus que ceux de son visage et de son cou. Ses mains, comme ses pieds, n'avaient plus rien d'humain : c'était des pieds de porc. Fixant la route de ses yeux ronds et noirs, il ne cessait d'actionner le klaxon qui semblait grogner comme lui.

Edward Eliot s'était toujours fait traiter par les autres automobilistes de « cochon de chauffard ». Le Graal Maudit lui en avait donné les apparences.

Eileen Eliot poussa un hurlement.

— Non ! Ce n'est pas possible ! C'est horrible ! Je ne veux pas voir ça. Je voudrais être à quinze mille kilomètres d'ici !

Le Graal Maudit l'entendit. Il y eut un bruit de succion, et Eileen Eliot se sentit tout à coup aspirée hors de la voiture dans un tunnel de lumière verte, si vite qu'elle en perdit ses vêtements et ses chaussures. Pendant quelques secondes le monde disparut de sa vue. Elle tombait en hurlant. Puis le sol parut se précipiter vers elle et elle eut la sensation de le percuter à une vitesse folle. Quand elle reprit ses esprits, elle pataugeait dans une eau bourbeuse et froide qui lui montait à la taille. Quelques lambeaux de vêtements pendaient à son cou.

Mme Eliot avait parcouru quinze mille kilomètres. Elle était en Chine, dans une rizière, entourée de paysans qui la dévisageaient avec surprise, sans dire un mot. Enfin, quelqu'un lui posa une question en mandarin. Mme Eliot haussa les épaules. L'un de ses faux cils se décolla et tomba comme un papillon mourant. Mme Eliot sourit et s'évanouit.

À l'arrière de la Rolls Royce, tante Mildred pivota tant bien que mal sur son énorme fessier pour regarder par la vitre.

— Je ne sais pas ce qui se passe, couina-t-elle dans un japonais impeccable, mais nous sommes vraiment dans la mélasse !

Jamais elle n'aurait dû prononcer ce mot-là !

D'abord ce fut un simple filet s'égouttant des voitures qui stationnaient aux feux rouges, dans le centre de Margate. Mais bientôt le filet se transforma en un flot régulier, puis en un torrent impétueux et sauvage. Au bout de cinq minutes, un véritable geyser de mélasse jaillissait de tous les véhicules qui roulaient dans la ville. Mélasse pure, ou dérivés : de la confiture de fraise s'écoulait des autobus rouges, de la gelée de cassis des taxis, de la confiture d'abricot des voitures jaunes, de la marmelade des voitures orange. Ceux qui roulaient au sans-plomb dégorgeaient en plus de la confiture de groseilles vertes. Quant au gasoil, il s'était transformé en une sauce noirâtre.

Saisis de panique, les habitants de Margate regardaient la mélasse se répandre en un flot gluant dans les rues de la ville. Bientôt le centre ressembla à l'intérieur d'un gâteau écœurant et monstrueux. Réfugiés dans les étages des magasins ou des maisons, les plus chanceux voyaient leurs amis et parents se débattre désespérément, enfoncés jusqu'à la taille dans un jus sirupeux. Le fleuve de mélasse s'engouffra dans les galeries commerçantes, emportant tout sur son passage, livres, vêtements, casseroles, abat-jour, costumes trois-pièces. On alerta la police. Trois voitures, toutes sirènes hurlantes, débouchèrent dans la rue principale sur les chapeaux de roues, et furent aussitôt englouties dans une mer écumante.

M. Eliot vit le danger trop tard. Au moment où les véhicules de police le doublaient, il braqua le volant à gauche. Une montagne de mélasse se dressa devant lui. Aussitôt, en poussant un cri, qui tenait à la fois du couinement et du grognement, il braqua le volant à droite. Droit sur un réverbère.

La Rolls Royce le percuta à quatre-vingts kilomètres à l'heure, et M. Eliot fut projeté à travers le pare-brise teinté qui lui avait coûté si cher. Littéralement encastrée dans la banquette arrière, coincée par son monstrueux estomac contre le siège avant, tante Mildred était incapable de bouger. Mais sa graisse avait amorti le choc.

Dans la collision, la porte s'était ouverte et son sac était tombé sur le trottoir, où il irradiait une lumière plus éclatante que jamais. Mildred parvint à tendre le bras, mais avant que ses doigts boudinés aient pu le saisir, quelqu'un se pencha et s'empara du sac.

Mildred leva un regard étonné :

— Vous ?

Mais déjà l'homme avait disparu.

Quand David découvrit le chaos qui dévastait le centre de Margate, il comprit qu'il approchait du but. Il volait à environ quatre-vingts mètres d'altitude. Assez haut, espérait-il, pour être invisible du sol, mais assez bas pour éviter les avions. Il avait eu son content de frayeurs. Alors qu'il traversait l'estuaire de la Tamise à Sheerness, un DC 10, qui venait de décoller de l'aéroport, lui avait coupé la route. (Le pilote ne s'en remit pas : lors de l'atterrissage à Amsterdam, sa bouche écumait encore.) David avait dû également négocier des courants contraires au-dessus de la campagne plate du Suffolk. Mais son voyage se terminait enfin et il était sain et sauf.

Engloutie sous une marée épaisse et houleuse, Margate était à peine visible. Même s'il avait volé plus bas, David n'aurait pu apercevoir la Rolls

Royce orange. Mais sa décision était prise. Il irait à Canterbury, et s'il arrivait là-bas à temps, il aurait une chance d'intercepter le Graal avant qu'il n'entre dans l'ombre de la cathédrale. L'effet de surprise jouerait en sa faveur.

Malheureusement, c'est lui qui fut le jouet de la surprise la plus effroyable.

David avait gagné l'intérieur des terres. Planant dans la lumière dorée de la fin d'après-midi, il commençait à prendre plaisir au vol – les cheveux soulevés par le vent, le silence, la sensation de liberté. Le balai répondait à ses moindres injonctions. Plus haut, plus bas, à droite, à gauche. Il suffisait de le penser.

Mais, soudain, tout s'arrêta.

Le balai chuta brutalement dans le vide. Réprimant un haut-le-cœur, David s'efforça de se concentrer sur ses mains, crispées sur le manche à balai, pour en reprendre le contrôle. Le balai s'élança de nouveau, mais avec réticence. Un moment après, il tressautait et recommençait à descendre. David voyait se réaliser ses pires craintes. Comme Jill l'avait prédit, à l'approche de Canterbury, la puissance du Graal diminuait. La magie de Groosham Grange cesserait bientôt d'agir – annulant du même coup les pouvoirs du balai. C'était un peu comme une voiture tout près de tomber en panne d'essence. David l'entendait même toussoter.

Combien de chemin lui restait-il à parcourir ? Et combien *pourrait-il* en parcourir ?

C'est alors qu'il aperçut la cathédrale. Elle se dressait à l'extrémité d'une ville moderne, assez grande, dont elle était séparée par un petit groupe de maisons et une large pelouse parfaitement tondue. La cathédrale s'étirait d'est en ouest, offrant aux regards ses flèches élancées, ses fenêtres en ogives et ses toits pentus d'un blanc argenté.

Quelques kilomètres encore, et David la survolerait. Il encouragea le balai qui fit un bond en avant... et perdit d'un coup quinze mètres d'altitude. Il n'était plus qu'à soixante mètres au-dessus du sol. Il se serait senti plus en sécurité s'il avait volé plus bas, mais pour préserver le peu de pouvoir qui lui restait, il était obligé de se concentrer sur un seul commandement.

Le balai parvint à atteindre la rue principale de Canterbury, la suivit jusqu'au portail richement orné de la cathédrale, et s'arrêta au-dessus de la tour centrale. De là, David pouvait contempler l'intérieur du cloître et entendre la musique de l'orgue. S'inclinant légèrement sur le côté pour contourner la tour, il chercha un endroit où atterrir.

C'est alors que le pouvoir du balai s'éteignit. David ne pouvait rien faire. Il tombait, comme un oiseau blessé tombe du ciel, en tournoyant, inutilement agrippé au balai. La cathédrale avait disparu de son champ de vision. David vit la pelouse monter vers lui, pareille à une muraille verte.

Il tournoya une dernière fois sur lui-même en poussant un cri, et heurta violemment le sol.

13

La cathédrale de Canterbury

Il vivait encore. Il le savait puisqu'il avait mal. Jamais il n'avait eu si mal. Une chose était sûre : il s'était cassé la clavicule et une jambe, mais ses doigts et ses orteils bougeaient et puis il ne s'était pas brisé le cou.

Il gisait sur l'herbe, comme ces silhouettes dessinées à la craie par les policiers après un meurtre : bras et jambes écartés, tordus dans un angle horrible. Il avait des élancements dans la tête et un goût de sang dans la bouche : il s'était mordu la langue. Mais il respirait. Le balai avait sans doute ralenti sa chute au tout dernier moment. Sinon il ne serait pas étendu sur l'herbe, mais dessous.

David ouvrit les yeux et regarda autour de lui. Il

avait atterri au milieu de l'enceinte de la cathédrale. D'un côté il y avait une sorte d'abri d'autobus en bois entouré d'arbres : c'était la salle d'accueil de la cathédrale. Derrière lui, une rangée de maisons, dont le magasin de souvenirs. La cathédrale se dressait devant et au-dessus de lui.

Les deux tours de la façade abritaient une multitude d'oiseaux noirs aux plumes effrangées, corbeaux ou corneilles, qui entraient et sortaient par les fenêtres. Les quatre flèches qui couronnaient chacune des tours étaient tellement sculptées qu'on eût dit des plantes poussant au fond de la mer. La troisième tour, plus grande, évoquait une fusée médiévale prête au lancement. Elle masquait le soleil, qui était bas dans le ciel.

Le soleil...

S'efforçant de tourner la tête, David vit que l'ombre projetée par la tour s'étirait en travers de la pelouse et s'arrêtait à quelques pas de lui. Il vit aussi quelqu'un qui avançait dans sa direction. C'est alors seulement qu'il prit conscience de son étrange solitude : personne ne l'avait vu, alors qu'il était tombé du ciel en plein jour ; personne n'était venu à son secours. Il était tard et la cathédrale était sans doute fermée à cette heure, mais comment expliquer qu'il n'y eût pas un chat dans les parages ? Même pas un touriste attardé, une femme de ménage, ou un prêtre ? Quelque chose les avait-il effrayés ? ou avaient-ils été chassés par quelque sortilège ?

La silhouette solitaire approchait d'un pas égal. David plissa les yeux et essaya de se redresser sur un coude. La douleur lui arracha un cri. Mais comment aurait-il pu distinguer l'inconnu ? Il avançait à contre-jour, et lui-même était encore tout étourdi et désorienté par sa chute.

— Bonjour, David.

M. Helliwell. Il aurait dû s'en douter !

David avait soupçonné Vincent parce que Vincent était un nouveau venu à Groosham Grange. Mais M. Helliwell l'était aussi. Ils étaient arrivés à peu près à la même époque. Ensuite David avait continué de soupçonner Vincent, parce que c'était lui qui avait ramassé les copies d'examen. Mais à qui les avait-il remises ? À M. Helliwell. Et qui avait animé les figures de cire grâce à ses pouvoirs vaudou ? M. Helliwell. Lors de la remise des prix, c'était encore lui qui avait sympathisé avec les parents de David et retrouvé le sac égaré de tante Mildred.

— Tu es surpris de me voir, David ? sourit M. Helliwell découvrant des dents d'une blancheur éblouissante.

— Non.

— Je ne pensais pas que tu réussirais à t'échapper de la tour Est, poursuivit le professeur de vaudou en jetant un coup d'œil au manche à balai échoué à côté de David. Je suppose que c'est celui de Mme Windergast ? Décidément, tu es un garçon plein de ressources, David. Très courageux, aussi. Désolé pour toi que ça n'ait servi à rien.

Il leva la main et David découvrit le Graal Maudit niché dans son immense paume. David essaya de bouger, sans résultat. Ils étaient seuls, M. Helliwell, lui et le Graal. Le soleil rampait vers l'horizon, inondant la cathédrale d'une lumière dorée. Parmi les ombres aiguisées, celle de la troisième tour, la plus pâle, se rapprochait d'eux. Il suffisait à M. Helliwell de tendre le bras, et le Graal Maudit passerait dans l'ombre de la cathédrale de Canterbury. Alors Groosham Grange tomberait en poussière.

— C'est la fin, David, reprit M. Helliwell d'une voix grave, presque triste. Dans un sens, je suis content que tu sois ici pour y assister. Bien entendu, dès que le Graal passera dans l'ombre, toi aussi, tu mourras. Mais je t'aimais bien. Je tiens à ce que tu le saches.

— Merci, murmura David.

— Bon. Je pense qu'il faut en finir, maintenant.

La main qui tenait le Graal se déplaça lentement. De la lumière vers les ténèbres...

— Attendez ! cria David. Il y a une chose que je voudrais savoir !

M. Helliwell hésita. Le Graal étincelait dans sa main à quelques centimètres de l'ombre de la cathédrale.

— Vous devez me répondre, insista David en se redressant péniblement sur un coude. Pourquoi avez-vous fait ça ?

M. Helliwell réfléchit un instant et leva les yeux.

— Dans une heure, le soleil brillera encore. Si tu crois pouvoir me rouler...

— Mais non, s'empressa de dire David, en secouant la tête (ce qui le fit affreusement souffrir). Vous êtes bien trop intelligent pour moi, monsieur Helliwell. Je dois le reconnaître. Mais j'ai le droit de savoir. Pourquoi ce coup monté contre moi ? Pourquoi fallait-il que ce soit Vincent qui gagne le Graal Maudit ?

— D'accord, je vais t'expliquer, répondit le professeur de vaudou, qui avait retrouvé toute son assurance.

Il abaissa le Graal, mais l'ombre restait là, toute proche, avide.

— Vincent était incapable de gagner le Graal Maudit, reprit M. Helliwell. En fait, quand j'ai mis mon plan au point, je me fichais que l'un ou l'autre gagne. Puis je suis tombé par hasard sur cette lettre de ton père.

David se rappela cet instant où il avait laissé échapper la lettre : il sortait de la classe de Mme Windergast et M. Helliwell l'avait ramassée.

— En apprenant que tes parents devaient aller à Margate après la remise des prix, j'ai compris qu'il y avait là une occasion à ne pas manquer. Il me suffisait de glisser le calice dans leurs bagages et d'attendre qu'ils le fassent sortir de l'île à ma place. Ils étaient au-dessus de tout soupçon. À condition que tu ne gagnes pas le Graal. Si tu avais disparu après l'avoir reçu, tes parents auraient été arrêtés avant même d'atteindre le bateau. On t'aurait soupçonné de leur avoir donné le calice. Vincent, lui, était le gagnant idéal. Pas de famille ni d'amis. Pendant qu'on le rechercherait, personne ne s'occuperait de toi ni, surtout, de tes parents.

— Et c'est vous qui avez envoyé les figures de cire.

— Oui. Je vous ai suivis à Londres et je vous ai surveillés tout le temps.

— Il y a une chose que vous ne m'avez pas encore expliquée, monsieur Helliwell.

La souffrance devenait insupportable. Pourrait-il se retenir de perdre connaissance comme on se retient d'éternuer ? Et pourtant, son cerveau fonctionnait à toute vitesse. Était-il si vulnérable qu'il le croyait ? N'avait-il plus aucun pouvoir ?

— Pourquoi avez-vous fait ça, monsieur Helliwell ? Pourquoi ?

Le professeur de vaudou ricana.

— Je sais à quoi tu penses, David. Crois-tu vraiment pouvoir me surprendre ?

M. Helliwell repoussa David du bout du pied. Le garçon hurla de douleur et, pendant un instant, tout vacilla devant ses yeux. Mais il se força à rester conscient.

— Tu essaies de faire appel à tes pouvoirs magiques, mon garçon, mais tu n'en as plus. Bon, assez discuté ! Il est temps pour toi de redevenir poussière.

Il éleva à nouveau le Graal, mais David cria :

— Pourquoi avez-vous fait ça ? Vous étiez le meilleur. L'un des plus grands mages vaudou. Vous n'avez pas pu cacher à tout le monde que vous aviez changé. Vous étiez célèbre !

— J'ai été converti, lâcha brutalement M. Helliwell, avec une étrange lueur dans les yeux. L'évêque de Bletchley est venu en mission à Haïti, un jour, et je l'ai rencontré. D'abord j'ai eu envie de le transformer en crapaud, en serpent ou en pastèque. Puis nous avons discuté. Nous avons parlé pendant des heures et, alléluia ! Il m'a converti au christianisme.

— Le christianisme ? s'exclama David.

— Parfaitement. J'ai vu la lumière. Toute ma vie, j'avais défendu le mal. Et même pendant plusieurs vies avant celle-là. Pourtant l'évêque m'a pardonné. Il m'a montré le droit chemin.

Le chemin de la maison de fous, songea David.

— Alors pourquoi êtes-vous venu à Groosham Grange, si vous étiez converti ?

— Pour détruire l'école ! C'est l'évêque qui m'a envoyé. L'école est un sacrilège. Il faut la détruire, les tuer, tous...

— Ce n'est pas très chrétien, fit remarquer David. Nous ne vous avons rien fait.

— Vous êtes le mal !

— C'est absurde, dit David. D'accord, j'admets que nous ne sommes pas très conventionnels. Mais on ne kidnappe pas les gens ! On ne les jette pas dans le vide du haut d'une tour ! À Groosham

Grange, on ne tue personne. Si on y réfléchit bien, on ne fait même aucun mal. Alors que vous... ! Vous avez menti, triché, et maintenant vous allez provoquer la mort d'une foule de gens. Vous vous êtes servi de mes parents et vous avez détruit la moitié de Margate. Comment pouvez-vous vous prétendre chrétien, monsieur Helliwell ? Je suis sûr que vous avez commis moins de péchés quand vous faisiez de la magie noire.

— Tu ne sais pas de quoi tu parles, coupa M. Helliwell. (Il était devenu tout pâle et ses yeux brillaient d'un éclat rouge.) J'ai agi au nom de l'Église !

— Et je suppose que l'Église approuve l'assassinat d'un garçon de quatorze ans.

— Ça nous attriste, mais il faut le faire.

— Je ne crois pas que ça vous attriste tant que ça, monsieur Helliwell. Et je ne crois pas non plus que vous soyez un chrétien. Je pense que vous êtes un fanatique, ce qui est très différent.

— Je... je... je.

M. Helliwell bafouillait de rage. Les yeux exorbités, la bouche tiraillée par un tic, il écumait sans pouvoir parler. Quand il eut enfin retrouvé son sang-froid, il siffla :

— Assez !

Et il brandit le calice. Pendant un instant, étincelant dans le soleil, il se transforma en une boule de lumière rouge. Puis l'ombre projetée par la plus grande des tours s'approcha pour le happer.

C'est alors que David entra en action. Au cours des dernières minutes, il avait concocté un plan et rassemblé tout ce qui lui restait de forces. Sa discussion avec le professeur n'avait eu pour but que de le distraire. *En effet, tant que le Graal était hors de l'ombre, il lui restait un peu de pouvoir.*

David se concentra et, sous son impulsion, le balai de Mme Windergast se redressa d'un bond et fila comme une flèche vers la tête de M. Helliwell.

Le professeur plongea pour l'esquiver. Le balai lui frôla l'épaule et poursuivit sa course.

— Raté ! fanfaronna M. Helliwell en riant. C'est donc ça que tu mijotais ? Le bien est de mon côté, David, ne l'oublie pas. Tu devrais savoir que le BIEN TRIOMPHE TOUJOURS DU MAL !

Avec un sourire mauvais, M. Helliwell étendit le bras pour faire passer le Graal Maudit dans l'ombre de la cathédrale de Canterbury.

Mais l'ombre n'était plus là.

M. Helliwell fronça les sourcils et baissa les yeux sur la pelouse. Elle miroitait sous le soleil que la tour ne cachait plus...

— Mais que...

Il leva les yeux.

Pour l'ultime vol du balai de Mme Windergast, David n'avait pas visé le professeur de vaudou, mais l'une des flèches de la tour la plus haute. Ainsi, mû par les pouvoirs magiques de David, le balai avait coupé la flèche en deux. Sa cime disparue, le soleil ne rencontrait plus d'obstacle et son éclat protégeait encore le Graal.

— Espèce de..., grogna M. Helliwell.

Il n'acheva pas sa phrase. Le balai avait découpé une tonne et demie de pierre. Un cône massif et effilé qui bascula dans le vide et s'abattit sur M. Helliwell.

David n'osa pas regarder. Il entendit un cri perçant, suivi d'un craquement écœurant. Quelque chose tomba sur l'herbe, près de sa main. Il le prit avec précaution. C'était le Graal Maudit.

Lentement, en s'aidant de sa jambe valide, David parvint à se traîner loin du tas de gravats sans lâcher le calice. Le moindre mouvement lui était douloureux et il devait sans cesse s'arrêter pour reprendre son souffle. Une fois hors de portée de l'ombre de la cathédrale, il serra le Graal contre sa poitrine, puis il se pelotonna dans la clarté rassurante du soleil couchant.

14

Face au soleil

Étincelantes sous le soleil matinal, les vagues déferlaient puis se brisaient contre les récifs de l'île du Crâne. Sur le rivage soufflait une brise légère qui dessinait des motifs dans le sable. Tout était paisible. Des papillons dansaient dans les chauds rayons du soleil et l'air était gorgé du parfum des fleurs.

C'était la première semaine de décembre et, partout ailleurs, l'Angleterre grelottait, enfouie sous la neige et les nuages, fouettée par un vent glacial. Avec le Graal Maudit, la magie était de retour à Groosham Grange. Après toutes ces émotions, M. Fitch et M. Teagle avaient décidé d'octroyer à tout le monde trois semaines de vacances supplémentaires.

L'école avait été rapidement restaurée. À peine le Graal revenu à sa place, Groosham Grange renaissait de ses cendres, plus fière et forte que jamais. Et même plus belle ! Plusieurs salles de classe s'étaient repeintes de frais toutes seules, tandis qu'une aile consacrée à l'informatique avait surgi mystérieusement du marécage qui s'étendait à l'ouest du cimetière.

Presque trois mois avaient passé depuis le vol de David à Canterbury. Il se tenait à présent dans le bureau obscur de M. Kilgraw, appuyé sur une canne. C'était un miracle qu'il pût déjà tenir debout ! Malgré les potions magiques de Mme Windergast et le démon mineur invoqué par Mlle Pedicure, il guérissait en effet très lentement. Son épaule et sa jambe le faisaient souffrir et il ne se déplaçait qu'avec peine. À part ça, rien ne laissait deviner les épreuves qu'il avait endurées.

M. Kilgraw se leva derrière son bureau.

— Tu te sens mieux, David ?

— Beaucoup mieux, merci.

M. Kilgraw s'approcha et lui fit signe de s'asseoir. Un mince rayon de soleil filtra à travers les rideaux. Le directeur adjoint l'évita prudemment et tourna le dos à la fenêtre. Il se frottait les mains. David le sentait nerveux et il savait pourquoi.

— Vous étiez au courant, n'est-ce pas, monsieur Kilgraw ?

— Pardon ?

— Vous saviez pour M. Helliwell. Je crois même que vous le saviez depuis le début...

— Nous le soupçonnions, admit M. Kilgraw. Nous savions qu'il y avait un espion sur l'île, mais nous ne l'avions pas identifié avec certitude.

— Mais vous saviez que j'étais innocent, insista David, avec une pointe d'amertume dans la voix. Comment avez-vous pu...

— Ne sois pas fâché, David, l'interrompit M. Kilgraw. Tu dois comprendre. Nous t'avions enseigné tout notre savoir, mais nous devions te mettre à l'épreuve. Il fallait trouver un test digne de toi. Et c'est le défunt M. Helliwell qui en a fourni l'occasion. Tu penses que nous t'avons mal traité ? C'est vrai, nous t'avons traité de façon abominable. Mais à quoi t'attendais-tu ? À un banal examen de fin d'études ? Nous sommes à Groosham Grange ! En fait, je suis très fier de la sévérité de notre sélection. Mais je suis également ravi que tu aies survécu. Bravo ! Bien joué !

David était sidéré. Il n'en croyait pas ses oreilles.

— Mais si vous étiez au courant..., murmura-t-il, pourquoi avez-vous laissé M. Helliwell s'emparer du Graal ? Il aurait pu tous vous détruire. Tout le monde risquait d'être tué !

— La mort n'est pas un mal, David, dit M. Kilgraw. Tu l'apprendras au cours du prochain trimestre. Mais nous savions que tu ne nous décevrais pas. Après tout, tu es notre Maître Élève. Car c'est de cela qu'il s'agissait, n'est-ce pas ?

— Un examen.

— Oui, un examen. Auquel tu as été reçu avec les honneurs !

Jill, le fantôme de Jeffrey et Vincent attendaient David dehors.

— Qu'est-ce qu'il t'a dit ? demanda Jill.

— Parfois j'ai l'impression d'être dans un asile de fous, répondit David en secouant la tête.

— C'est ce qui fait le charme de Groosham Grange, marmonna Jeffrey.

Ils s'engagèrent côte à côte sur le sentier qui longeait les falaises. Le soleil brillait, encore haut dans le ciel. Pendant qu'une classe de débutants jouait sur l'herbe (ou peut-être faisaient-ils des exercices de lévitation ?), Gregor, qui essayait de bronzer, paressait dans une chaise longue. Son corps fumait doucement.

Ce fut Vincent qui rompit le silence.

— Et le Graal ?

— Quoi, le Graal ? demanda David.

— Ne t'inquiète pas ! s'esclaffa Vincent. Il est à toi, je ne veux pas te le prendre. Je veux seulement savoir où il est. Est-ce que M. Kilgraw te l'a remis ?

— Non, répondit David, qui ne s'était pas posé la question. Tu as raison. Il n'y a même pas fait allusion.

— Tu n'en veux pas ? s'étonna Vincent.

— Le Graal Maudit offre un pouvoir illimité, remarqua Jill. Celui qui le détient peut se projeter dans le passé et connaître l'avenir.

— Ça ne me tente pas tellement, dit David en haussant les épaules. Le pouvoir illimité m'effraie un peu. Pour ce qui est du passé, du moins du passé récent, j'ai eu ma dose, merci. Pour l'avenir, je crois que je préfère les surprises.

Vincent et Jeffrey acquiescèrent d'un signe de tête. Jill sourit et prit le bras de David. Ensemble, les quatre amis descendirent vers la mer.

Anthony Horowitz

Né en 1957, Anthony Horowitz a écrit près d'une quinzaine de livres pleins d'humour pour enfants et adolescents. Il a un jeune public fervent autant en France que dans la douzaine de pays où ses histoires policières, fantastiques et d'horreur sont traduites. En Angleterre, son pays d'origine, il est également connu pour ses scénarios de séries télévisées. Certains de ses livres, comme *L'Île du Crâne*, *Le Faucon malté* ou *Satanée grand-mère*, collectionnent les prix et sa toute dernière création, *Les Aventures d'Alex Rider*, remporte un succès sans précédent. Un film est en préparation à partir du premier épisode *Stormbreaker*.

Table